为了雪山的庄严和
父母的期望

毕淑敏 著

中国青年出版社

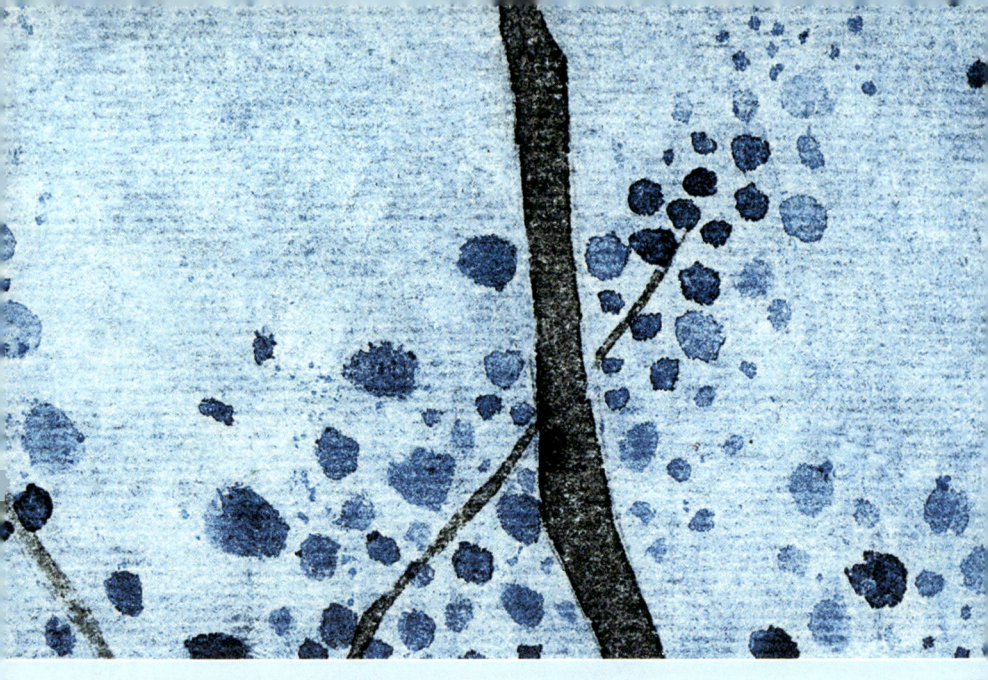

目 录

第一辑　尘光里的远行客

当什么都不存在的时候，有一种关于存在的思维，就会活跃。夜幕下的海，纯净剔透的黑与蓝，天幕是银光烁烁的星。

在北欧游轮上 -010　◆　生当做瀑布 -020　◆　山妖的阶梯 -028　◆
只有贝加尔湖知道 -031　◆　啊，原来你是一只老虎 -039

第二辑　用心触摸世界的美好

灵魂就算不能像烛火一样照耀着我们的行程，起码也要同甘共苦地跟在后面，不离不弃。否则我们就是一具飘飘荡荡的躯壳在蹒跚，敲一敲，发出空洞的回音，仿佛千年前枯萎的胡杨。

消音器和指示针 -056　◆　十一块宝石婴孩的项圈 -062　◆　斯特朗的地毯鞋 -074　◆　面具后面的脸 -080　◆　会吐火的龙 -090

第三辑　如果脚印有光芒

无数次想过，回家之后，再也不出发，在自家房檐下好好地偷懒，吃平淡可口的中国家常菜，过俗常的清静日子，终又无数次启程，去探望风雨飘摇的世界。

珊妮兵团 –104　◆　谁可以破门而入 –110　◆　机场悬红 –116　◆　浮潜加勒比海 –122　◆　莎草纸 –132

第四辑　天堂不是目的地

在空中看大地，心中会涌起略带疼惜的温情，所有的细节都看不到了，看到的只是莽莽苍苍的雪原。这是我们赖以生存的土地，眷恋的故乡，并最终掩埋骨殖的地方。

加德满都：直面生死 –148　◆　送你一颗光芒海 –164　◆　轰先生的苹果树 –173　◆　太平门与非常口 –178　◆　轻松山房 –182

目录

第五辑 青山藏在白云间

如果脚印有声响和歌声,这千山万壑中,一定鼓乐齐鸣激荡不息。如果脚印有光芒,这里就是第二个太阳栖息的地方。如果脚印化成飞鸟,你将看不到任何一座山峰的影子,它们都会被翅膀所覆盖……

为什么要到非洲 -188 ◆ 你只见她们盛放,可见她们寂寥 -195 ◆ 无伤不香 -199 ◆ 如果你半夜时在极光中看到她 -210 ◆ 阳历的七夕 -213

第六辑 在我们生命的远方

当我深刻地体验到一己的微不足道和瞬忽即逝的宿命后,决定再不无谓地消耗一分钟,尽心尽意做喜欢的有意义的事,让渺小的生命与一种广博的存续连接,如同浪花在海洋中快乐嬉戏并生生不息。

冈仁波齐的秘密 -220 ◆ 冻顶百合 -234 ◆ 带上灵魂去旅行 -240 ◆ 抱着你,我走过安西 -244 ◆ 为了雪山的庄严和父母的期望 -266

跋 山河试卷 -280

第一辑

尘光里的远行客

当什么都不存在的时候,
有一种关于存在的思维,
就会活跃。
夜幕下的海,
纯净剔透的黑与蓝,
天幕是银光烁烁的星。

在北欧游轮上

从芬兰到瑞典,我们乘坐的是维京号游轮。也许是因为泰坦尼克号留下的印象太深刻了,我上船的第一个动作就是鬼鬼祟祟地瞟着船的两舷,想数数救生艇的数目够不够。其实数也是瞎数,谁知道船上有多少人呢?

到了吃晚饭的时候,就大概知道有多少人了。晚饭被安排在9点半,即使此刻是北欧的白夜期间,太阳下班很迟,这个时辰吃饭也还是相当晚了。导游跑去联系,企图把我们的吃饭时间提前,未果。游轮方面的答复是:食客众多,只能分期分批地享用大餐,已经安排在这个时间,无法更改。

入乡随俗吧。

时辰到,进了餐厅,真是蔚为壮观的饕餮大军。自助餐形式,几百个不锈钢的食槽彻头彻尾地敞开心扉,各色食品竭尽全力讨好你的视觉嗅觉,透过它们和你腹中的肠胃打招呼。无数人端着盘子,在美味之中遨游,如同饥饿的鲨鱼。

餐厅位于整个游轮的正前甲板处,四周都是玻璃,可以把它想象成行进中的水晶宫,游客们就在这座劈风斩浪的宫殿里,有惊无险地大快朵颐。

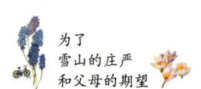

得知我们能够在维京号游轮上享受美食，送我们上船的芬兰导游不胜羡慕地说，我到芬兰七年了，都还没有乘过游轮，据说船上的大餐会让人一辈子难忘。

中国人吃饭好扎堆，有了美景有了美味，当然要有佳客，说说笑笑当作料，才有滋有味地惬意。伙伴们很快就发现这愿望成了窗外波罗的海一朵泡沫，餐厅能接待的人数有限，一批人抹着嘴巴走出，另一批人才能鱼贯而入。吃完的人散居在各处，腾出的位置也星罗棋布，这直接导致了我们虽然获准进入餐厅，但并没有现成的位置候着，全靠见缝插针。

没有那么大的缝隙，可以一下子插入这么多中国针，只能化整为零分而治之了。

我端着盘子在熙熙攘攘的人流中寻找座位。一处偏僻的位置，一张两人小桌，一个黄种人在独自进餐。男性，个子不高，大约三十岁的年纪，服饰整洁。我猜他是一个日本人，也可能是韩国人。说实话，哪怕有一线希望，我也不愿意和一个日本人同桌进餐，但环顾左右，桌满为患，再咽着口水四处游逛，有点像丐帮。

我用汉语说，这里有人吗？

没指望他能听懂。在海外旅行的经历，我有一个收获。你不会说当地语言也无大碍，大胆地自说土话好了。反正人们萍水相逢之时，能够交流的信息是有限的，配合着手势和表情，大致也能猜个八九不离十，千万不能钳闭双唇什么也不说，那才是真正的闭目塞听一头雾水。

我相信以我端着盘子没着没落的样子，他一定能明白我的意思，摇头或是点头就可答复。没想到他非常清晰地用标准普通话回答我说,没有人,你可以坐。

我大喜过望。不单是因为有了座位,更是因为在这里遇到了同乡。我如释重负地放下盘碟,说,中国人?

他略微迟疑了一下,说,冰岛人。

我大吃一惊,说你一个冰岛人,居然把汉语说得这么好啊。

他微笑了一下说,我以前是中国人,十几年前加入了冰岛籍。

原来是这样。我说,那你就是冰籍华人了,怎么称呼你呢?

他说,你就叫我阿博好了。

我坐在阿博对面,开始吃我的很晚的晚餐。动了刀叉之后,才发现这顿大餐并不像想象中那样诱人。不怪游轮上厨子手艺不精,是我失算。单凭目测一见钟情,拣来的食物多半口味诡异。比如一种美若珊瑚的红豆子,每一颗都像宝石放射光芒,我以为是外籍的红豆沙,舀了偌大一勺,抿到嘴里方品出拌了羊油和蜂蜜——平素我不吃羊肉。

炸鸡、蔓越莓、番红花鳕鱼、牛蒡扒、惠灵顿牛排、迷迭香、酸辣墨鱼、酪梨、红酒烤肉……你很难猜出色彩艳丽的食物中蕴涵着怎样陌生的原料和味道。拣到盘子里就都是菜,不得

不通通吃掉,以防服务生对中国人有微词。只是照单全收很辛苦,吃相也不轻松。

阿博看出我的窘态,慢慢地等我吃完,说,我和你一道再去添些食物,我知道有一些东西比较合东方人的口味。

有了阿博做向导,在食物摊中游弋,好比有了指南针,东西好吃多了,起码入口不再龇牙咧嘴。

阿博说,客人来自四面八方,游轮上各种口味的饭菜都有。

我说,没有看到中国饭啊。

阿博说,他们主要还是接待欧洲人,当然以西餐为主。以后中国人来得多了,他们也会做中餐的。

我说,你当年怎么想起到冰岛呢?

阿博说,我很想到海外留学,成绩不是很好,美国的学校取不上,英国学费又太贵了,就到冰岛来了。在冰岛学习冰岛语,有奖学金,就这么简单。

我说,你喜欢冰岛吗?

他说,喜欢,不然我不会入籍。

我说,冰岛有什么好处,这样吸引你?

阿博说,第一是我喜欢冰岛的水。冰岛是个资源非常丰富的国家,特别是水,简直取之不尽,用之不竭。冰岛人口很少,又有广大的冰川,简直就是一个大水库。第二是我喜欢冰岛的风光,像月亮一样。

我有点搞不明白,就问他什么叫像月亮一样,是又大又圆的意思吗?

阿博说,我说冰岛像月亮,是指它的美丽和寒冷,还有荒凉。

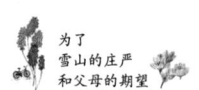

当然了，还有各种宝藏和让人充满了想象的寥廓空间。

我说，哦，明白了，第三点呢？

阿博说，第三是我喜欢冰岛的姑娘。她们热情豪放，敢爱敢当。如果喜欢你，就狂热似火地和你相爱。不喜欢了，就恩断义绝地同你分手，绝不拖泥带水。如果是你不干了，就直截了当地告诉她，她也不会哭哭啼啼缠着你不放。如果有了孩子，就跟你算清抚养账目，然后痛痛快快地奔自己的前程去了，再不会寻死觅活地找你麻烦。只是冰岛的法律很保护女子和孩子的利益，就算你是个富豪，如果离上几次婚，也就成了穷光蛋。

我说，看你对冰岛女子这样倾心，想必一定是娶了当地姑娘。

阿博说，曾经有过这样的想法。冰岛出美女，那里的女孩子也很阳光。她是我在一次圣诞节的聚会上遇到的，名叫黛比，我们一见倾心。那一天，正是北极圈内最黑暗的时分，天上出现了美丽的极光，是淡绿色的，横跨整个天穹，好像一匹无与伦比的绸缎，妖娆得令人恐怖。好在两个人在一起，什么都不怕了。那天我们喝了很多酒，分手的时候，彼此恋恋不舍。黛比说，咱们到乡下去吧。我说，这样寒冷，到乡下去岂不要冻死？黛比说，你跟我来，会把你热死。我就和黛比上了路。前几天刚刚下过一场暴风雪，公路上的雪虽然被铲雪机清除了，但两侧的积雪有好几米高，穿行在雪巷中，好像童话世界。我随着黛比到了冰岛首都雷克雅未克郊外的一座别墅，房子几乎被皑皑冰雪掩埋，只有房顶高耸的壁炉烟囱证明这里曾有人居住。

冰岛的富人通常在郊外都有这样的住所，主要是夏天时分来游玩，到了冬天，就人迹罕至了。我说，黛比，你有钥匙吗？

黛比说,这是我亲戚家的房子,我有钥匙。但是,没带。

我说,这不和没有钥匙是一样的吗?黛比说,当然不一样。我有钥匙,说明我有支配这套房屋的权利。我说,权利是一回事,我们进不去,这就是另外一回事了。

黛比说,谁说我们进不去呢?

我说,没有钥匙你怎么进去呢?

黛比说,这太简单了。说着,黛比走到窗户跟前,扒开积雪,用靴子猛地扫了过去,玻璃应声而碎。黛比矫健地跳了进去,然后从里面把房门打开。我大吃一惊,说你近乎强盗了。黛比笑起来,说,维京人的祖先就是海盗。

那一次,我和黛比在乡下的别墅待了三天三夜。屋内储备有很多罐头食品,还有饮用水,我们吃穿不愁。取暖和洗澡也没有问题,设备很齐全。窗外是极其寒冷清澈的星空,身边是极其温暖柔软的姑娘,那种感觉真是欲仙欲死。三天以后,我们回到都市。黛比对我说,咱们到此为止吧。

我大吃一惊,说为什么,我们才刚刚开始。黛比说,我有男朋友,只是这一阶段他不在。现在他就要回来了,我们就结束了,这就是一切,谢谢你给予我的美好感受。说完就翩然而去。

我知道这对黛比很正常,但我难以接受,久久伤感,后来我决定还是找一个中国的传统女性做妻子。文化这个东西,像胃一样,换不掉的。我不希望我的女儿在十四岁的时候,就把男孩子领回家。不希望我一推门看到他们在床上做爱,我还要心平气和地说,对不起,打扰你们了,然后镇定地转身离开。我做不到……

阿博举起一杯酒,我用手中的矿泉水和他碰碰杯,预祝他早日找

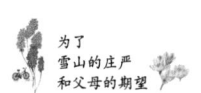

到中意的中国新娘。

吃罢晚饭,已近深夜。我到船上的免税商店转了转,里面也是熙熙攘攘热气腾腾,人们提着装满酒和化妆品的袋子兴高采烈。还有很多娱乐设施,因为疲倦,听说人也很多,我都没去浏览。

这艘游轮就叫作维京号。维京人(Viking)是日耳曼人生活在斯堪的纳维亚半岛地区的一支,也称诺狄人,至今德语中"北"仍和此发音近似。维京人人口不多,却是欧洲历史上影响很大的一个种族。他们的足迹北达格陵兰、冰岛以及俄罗斯腹地,南及地中海南岸温暖的亚历山大港和耶路撒冷,西抵不列颠、爱尔兰,东达北美洲东北部。他们在这些地方耕种、放牧、交易,凭着当时欧洲最出色的航海技术,到处拓殖和贸易,在今瑞典、丹麦、挪威等地安营扎寨,连远在加拿大的圣劳伦斯湾也曾是维京人的殖民地。近东的拜占庭有精锐的维京人雇佣军团,英格兰、爱尔兰、法兰西都有他们的占领区和政权。

维京人的基本生活方式是农耕,他们的农庄以家族为单位。但他们并不是自给自足的小农,他们还下海捕鳕鱼,腌渍以后卖给西欧人。他们从事国际贸易,有石制、陶制、木制以及兽骨兽角制成的日用器皿、金属制品、毛纺织品、珠宝饰品等。传统沿袭至今,只不过贸易的品种改成了集装箱码头、战斗机、轿车和移动电话。他们还大量倒卖各地土特产,考古中发现的存货就有斯堪的纳维亚的磨刀石和染料、荷兰的布匹、地中海的丝织品等。

维京人并非没有文字,只是北佬传下来的由二十四个字母组成的书写体系比较原始,又没有好的介质,只好刻在木头和石头上,这样就只能作为记录而不方便交流。为了刻画方便，字母都由直线和折线组成，没有现代字母的曲线，如现在的"O"是圆圈，而当时则是个菱形，这种文字是后来的英语的原型。而沉郁寡言的维京人还嫌二十四个字母太复杂，逐渐给简化成十六个，表达能力就更差了，有时候人们就把维京人简称为"海盗"。

我不知道阿博在雷克雅未克郊外遇见的女子，是不是一个海盗的后代，但那种性格显然和生长在温带的中国人有相当大的不同。

在心理学里有一种人格名称，叫作"T型性格"，简称为"海盗性格"，代表着创造性，外向型，爱冒险，喜欢生活多姿多彩，喜欢生命力淋漓尽致地发挥。他们喜爱追求新奇和未知，喜欢不确定性，喜欢复杂与刺激，爱把生命搞得像"一次事故"。有生理学家研究指出，这些人与生俱来有一种"刺激"基因，需要经常性的强力刺激，才能保持生命的张力和兴奋，只有不断地冒险，他们才感觉到自己还活着。

据说，爱因斯坦就是这样的人。

也许，黛比就是这样的人。

突然记起阿博的一段话。阿博说他和黛比分手的时候，天空也飘荡着北极光。这一次的北极光是橙红色的，披散着，很凌乱，好像火焰或者是巫婆的眼光。

我说，什么时候才容易出现北极光呢？

阿博说，有三个条件。

阿博很喜欢把问题梳理成几个点，也许因为是学管理的吧？阿博说，最容易出现北极光的日子，第一是要在冬天的12月。第二是要

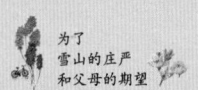
为了
雪山的庄严
和父母的期望

天气特别晴朗，如果有大风的搅动，极光就会躲藏。第三是要特别的寒冷。

阿博说，真奇怪，那三天，都有北极光出现，第二天晚上的北极光是金蓝色的，好像深海的海草，也像黛比的头发。

清早起来，站在甲板上，呼吸着海风传递的湿润，渐渐地接近了港口，瑞典到了。上岸的时候，我又看到了阿博，彼此间隔着很多拉杆箱和双肩包，我们只是微笑着颔首，算是招呼，算是告别。

旅途就是这样，我们会在某个地方以出乎意料的方式遇到某个人，彼此一点都不了解，却说了太多的话。

从此天各一方，也许永无相见。祝福他。

生当做瀑布

用一句通俗的话来讲,峡湾就是海水构成的山谷。

中国的地势是左高右低,按照上北下南左西右东的标识,中国的西部高东部低,靠近大海的地势,是平坦而中庸的。这样,我们中国人就以自己的亲身体验,认为海岸线是平原和大海的渐次衔接,是一个和平过渡的交班。但这有点一孔之见,在地球的其他地方,并不都是这样。

挪威的峡湾被幽深碧蓝的海水充溢着,但源头并不是海水,而是高山上的冰川。由于气候变换,冰川时代结束,大地回暖。昔日不可一世的冰川开始融化,向大海缓缓滑去,这个过程看似缓慢柔润,实则蕴涵着强大而持久的力量,犹如锋刀的切割。冰川美人,手持潺潺而化的溪流,当作微型利剑,日复一日潜移默化地将高山雄健的肌体划得遍体鳞伤。终于,高山成壑,大地分裂。成功地复仇之后,冰川之水义无反顾地向大海奔去,山麓荷满支离破碎的皱纹,在那里仰天叹息。海水不失时机地乘虚而入,它其实是爱戴和敬仰高山的,用深邃的咸涩的泪水把峡谷填平。

美国有本《国家地理杂志》,大名鼎鼎。中国人知道这本刊物,不少是来自《廊桥遗梦》故事里那位男主角罗伯特·金凯,这位漂泊

为了雪山的庄严和父母的期望

四海孤独激情的摄影记者就常常在这本杂志上发表作品。该杂志独出心裁，组成了一个庞大的专家组，囊括了生态学、地理学、城市与地区发展、旅游介绍与摄影、文化自然遗产保护、考古学和可持续旅游领域的各界人士。专家们根据六项标准加之亲自体验审查，对世界各地一百一十五个旅游目的地进行了评选。这六项评选标准是什么呢？

1. 生态与环境质量；
2. 社会与文化完整性；
3. 历史建筑与文化古迹质量；
4. 美学与吸引力质量；
5. 旅游管理质量；
6. 未来前景。

一番讨论之后，专家组列出了全世界五十个世界最佳旅游目的地，在这张清单上排第一位的就是挪威峡湾。

在中国乃至亚洲大陆并没有峡湾，除新西兰、智利等国偶有所见外，世界上百分之八十的峡湾在欧洲，而欧洲的峡湾主要在北欧，北欧的峡湾则主要在挪威。峡湾的英文名是 Fiord，有时特指的就是挪威的峡湾。

挪威南部的大西洋海岸线呈不寻常的曲折，多条宽阔的"海流"蜿蜒伸展到内陆达一百五十公里以上。峡湾的水非常深，一般都在几百米，最深达到一千二百米！两岸的山峰动辄也是千米高，万丈绝壁紧紧钳住一泓蓝水,这水还会随着潮汐一呼一吸,是不是有一种诡异的壮观?

峡湾里瀑布之多到了令人眼花缭乱的程度,可以说千米之内必有瀑布,常常是一眼望去,三四条瀑布同时跌落九天,细者如银丝,粗者如白绫。从北部的瓦伦格峡湾到南部的奥斯陆峡湾,车行之处,无数大小瀑布如万马奔腾,一条接一条,呼啸着喧哗着溅入峡湾,构成烟雨迷离彩虹飞架的仙境。

旅途中,不由得想到,如果我是水,做哪里的一滴水呢?做藏北高原狮泉河的一滴水吗?那里太冷了。做大海中的一滴水吗?海啸壁起的时候,杀人夺命,造孽深重。做黄河中的一滴水吗?虽然历史久远,然携带泥沙太过劳累,不得休息。做南极的一滴水吗?虽然洁净,但万古不化的寂寞,也令人怅然。

思前想后,最后做了一个决定——生当做瀑布。瀑布的前身是小溪,无拘无束地跳跃和畅流。小溪们会聚在一起,就长了能耐和勇气。人多力量大,水丰好办事。同心协力找到腾空而下的山岩,嘻嘻哈哈地纵身一跃,快乐地自高处跌下。水珠们拿着大顶叠着罗汉,倒栽葱地撞向深处,被风扯出透明的旗帜,在飞翔中快乐地撒欢。

我是一个很爱吃巧克力的人。在瑞士的时候,导游一句话,让我来了兴趣。导游说,世界上哪里的巧克力最好吃呢?是瑞士。为什么呢?因为巧克力主要是由可可脂和牛奶构成的。

瑞士是一个面积只有四十一万平方公里的小国,山高水险并且冬季严寒,全国并不生长一棵可可树,瑞士也从未有过殖民地,和可可

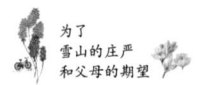

生产地——如非洲、南美洲等没有任何直接关联。就是说，瑞士生产巧克力，几乎就是先天不足。然而，为什么瑞士却是世界上巧克力的第一生产大国，享誉全球？

巧克力的所有制造方法都是在瑞士发明的，瑞士人使巧克力的制造流程和方法达到了几乎完美的地步。最可贵的是瑞士人并没有让巧克力长久地保持高昂的身价，而是毫不犹豫地把它从奢侈品的皇冠上拉到了平民的椅子上，成了大众化的消费。1819年，五百克巧克力的价钱高达六瑞士法郎，这在当时相当于一个普通工人三天的工资。1826年建立了一家巧克力工厂，所有机器设备的动力都来自于水力，大大提高了效率，每个工人每天可生产二十五至三十公斤巧克力，降低了成本。1830年，勒拉赫和自己的儿子们，在洛桑建立了一家工厂，并发明了欧洲榛果巧克力。一位屠户的儿子，把巧克力与牛奶混合在一起，从此结束了巧克力带有苦味的历史，产品有了一个质的飞跃。同时他发现 Henri Nestle 最新发明的炼乳方法很好，遂用来制造出了美味的牛奶巧克力。

1879年卢道夫林特在伯尔尼大教堂下的阿尔河旁，建立了自己的巧克力工厂。他发明了一种被称作"Conchieren"的工艺，在较硬的巧克力泥中加入可可脂，使瑞士巧克力有了今天的高贵、精美的味道。

瑞士是世界上巧克力消费最高的国家，最高纪录为2001年人均消费巧克力十二点三公斤。以我当过医生的经验，真觉得这么多巧克力的摄入，怕容易引起血糖血脂的增高吧？

瑞士商店里的巧克力琳琅满目，品种有几百种之多，售价也很便宜，一块简装的没有华丽外壳的一百克的巧克力，只相当于人民币几元钱。吃到嘴里,甜香软滑,非同一般。

说了这么半天,还是没有把瑞士巧克力天下第一的秘密揭露出来。其实,谜底很简单,导游指着车窗外说,因为瑞士有最好的奶牛,最好的奶牛挤出最好的牛奶,最好的牛奶就做出了最好吃的巧克力。

在阿尔卑斯山麓,是无边的草场和自由自在的奶牛。瑞士奶牛不是黑白花的,通常是红白花或是黄白花的。它们体形硕大,乳房饱满,无忧无虑地吃着草,好像生活在远古时代。导游说,你们注意到了牧草吗?我瞅了半天,说看不出有什么特别的,只是这里没有污染,好像格外嫩绿。导游不满意,说,你没发现牧草的品种不一样吗?瑞士精心研究牧草,培养优良品种,有时候要花费五六年的时间,才能选定某种优质牧草的种子,播撒在草地上,才会长出富有营养的牧草,吃着这种牧草长大的奶牛,才有可能挤出芬芳浓郁的牛奶,然后,才能保持世界第一的口味独特的巧克力啊。

原来,巧克力的生产线是从牧草开始的,多么长远的谋略啊。

山色越发深了,车停下来休息。在欧洲,司机的工作时间是固定的,每两个小时必须休息,不得违背。车上有类似飞机上的黑匣子装置,只要汽车一发动,它就开始记录,包括测算司机每天的驾驶时间和休息的频率,以防疲劳驾驶。

此处景色优美,奶牛们三五成群,在牧场上优哉游哉地闲逛着,看到游客们,也不躲避,睁着好奇的大眼睛,好像在猜测这些人的来历。

有人充满善意地走过去,企图近距离地接触奶牛,和奶牛合影,

为了雪山的庄严和父母的期望

抽冷子可能也想抚摸一把牛背什么的。导游赶紧招呼大家,说这万万使不得。

导游说,近几年来在瑞士牛和人之间发生事故的比例,比过去多了许多,究其原因,可能是由于新的养殖方式造成的。

过去奶牛受到人的照料比较多,现在,它们更多的时间是在牧场上散养,跟牧民接触的时间很少,已经不习惯跟人靠得很近。也就是说,在某种情况下,这些奶牛部分地恢复了野牛的天性,桀骜不驯。你别看它们好像长得很温顺,其实发起脾气来,也是很彪悍的。即便是一只样子乖巧的小牛也不可以随便触摸,否则,你就有可能被它追得到处乱跑,或者全身负伤。

再者,旅行者来自四面八方,没有和奶牛打交道的经验。看到奶牛生气了,他们也跟着惊慌失措,不知道如何是好。有些人本能地立即转过身撒丫子就逃,但这其实是最危险的举动,会刺激奶牛进一步发作。正确的做法是保持安静,慢慢地蹑手蹑脚地远离奶牛。

多起悲剧之后,瑞士徒步旅行协会发出郑重建议:别去打搅奶牛,更不要想着去触摸它们,可爱的小牛也很危险。不要试着去吓唬它们,不要死死地盯着它们看,也不要当着它们的面舞动棍子。万一发生极端的情况,你就瞄准它们的屁股来一下。

听导游这么一说,我们个个视牛如虎,再也不敢靠近。导游稍稍缓和了口气说,如果你实在太喜欢奶牛了,在离它们二十米的地方看看还是可以的。

就这样,我虽然非常喜欢奶牛,但是没有留下一张和奶牛合影的照片,因为我在距它们二十五米之外。

山路越来越险,真不知道深山里的牛奶如何新鲜地卖出去。看来我的担心不是多余的,这个问题也逼着牧人们开动脑筋。一个名叫保罗韦勒的牧人,每年都为他的奶酪销售犯愁。他的牧场使用太阳能,木材是用直升机空运来的,设备一流。奶酪则是牧场主按照传统方法制作的,质量绝对优等,可是因为交通不便利,他的产品就是销不出去。

头脑灵活的牧人想到了出租奶牛,他在网上刊登了奶牛的照片,一头奶牛整个夏天租赁费用为三百八十瑞士法郎,估计可产七十至一百二十公斤奶酪,租赁人在9月份就可以来牧场收取奶酪——可以将其带走出售,也可以馈赠亲友。

多么聪明的牧人!保罗的计划大获成功,十五头奶牛在网上被租赁一空。保罗还计划扩大服务范围,将周围几个牧场的奶牛统统在网上租赁出去。

离开瑞士的时候,有的人买了表,瑞士的手表当然是天下第一。

我也买了瑞士天下第一的东西,这就是瑞士的巧克力。特别挑选了"三角"牌巧克力,因为喜欢包装上的图案,高耸的阿尔卑斯山。据说这个牌子的巧克力特意制成三角形状,就是为了纪念欧洲最高峰的身姿。也是为了立此存照,想到那些幸福的自由自在的偶尔发发小脾气的奶牛,分泌的精华就存贮在这块巧克力中。

写了半天,把挪威和瑞士这两个国家生拉硬拽到一处,真是没有太多的道理。也许,连接这些文字的,就是游丝般飘荡的思绪吧。如果我是一滴水,纵是一滴普通的水,也希冀着跌宕起伏和波澜壮阔,也渴望游弋和携手,那就做一次瀑布吧。如果我下辈子变成一只牛,就到人迹罕至的山里去,吃的是优质的草,挤出优质的奶。不要被人打扰,不要留下影子,百无遮拦自由自在地在山坡上踱来踱去,为了人间的香甜贡献一点力量。

山妖的阶梯

快到挪威边界了，导游莉雅说，可以买一些山妖带回国。我说山妖是什么？莉雅说，你马上就能见到了。进得店中，只见无数个怪模怪样的玩具龇牙咧嘴地瞅着你，好似一头扎进了外国的花果山。

莉雅说，北欧人喜爱的神话人物"Troll"，俗名就叫山妖。山妖的长相实在不敢恭维，蓬头散发，青面獠牙，个子都很矮，红蒜鼻头，尖耳朵，大肚皮，牙齿参差不齐，手指和脚趾都只有八个。有的两个头，有的三个头，头上长着青苔和树木，甚至还会长出一些小山妖。有的干脆只有一只眼睛，全身披满破烂的长毛，还长着像牛一样的尾巴。最惊人的是比大象还长的鼻子，据说是熬粥时用来当勺子用的。

我问莉雅，山妖这么难看，一定也很凶恶。莉雅说，不，山妖虽丑陋，但心地很善良。天性活泼，常受到小孩愚弄，智商好像不太高。有时也会搞出些恶作剧，谁要是得罪了山妖，它就会报复或戏弄你。如果和山妖和睦相处，就会得到善报。

山妖也有软肋，就是只能昼伏夜出，见不得太阳。它们如果贪玩，忘了在天亮前躲起来，将被阳光化为空气或山石。山妖精于手艺，能制各种武器和家庭用品，在上面刻有符咒，人们若错用它们的

为了雪山的庄严和父母的期望

家什，就会遭殃。

说了这么半天，你是否能想象出山妖的模样？如果还感觉困难，我就给你打个比方（这个比方没有向专家求证过，如果错了，责任自负）。我觉得白雪公主故事中的七个小矮人，就是山妖一族。你看，它们居住在密林中，有自己专用的锅碗瓢勺和小床，不喜欢外人的闯入和打扰，心地善良，乐于助人，这些岂不都暗合了山妖的禀性？

据说山妖是挪威最早的原住民，它们有家庭，分部落，甚至还有自己的国王。森林小湖的山妖叫"纳啃"；居住在瀑布和磨坊中的山妖多才多艺，擅长拉小提琴，名叫"弗色格里门"（即"丑陋的瀑布人"）。这个山妖还是个教授，听说一个挪威小提琴家曾拜师门下。一般的山妖身材矮小，但在北方的海里，有一种叫"德捞根"的庞大山妖，十分恐怖。山妖安贫乐道，像柴堆、菜园、仓库、马厩和牛棚，都是它们安居乐业的地方。

在哈丁格高原，我们的汽车穿行于白雪皑皑的山峰，地面上蹲踞着乱石，听说都是山妖的化身。山路旁，错错落落地插了些粉红色的小球，这是当地百姓供给山妖的玩具。

传说山妖很喜欢喝粥，长鼻子可当搅拌器用。我和山妖有同感，是喝粥爱好者，只不过对以鼻当勺略有微词。如果伤风感冒了，涕泪交加，恐不相宜。我把这顾虑同莉雅讲了，莉雅说，估计山妖是半人半神之体，并不罹患寻常的病痛。

山妖也有很多法力，可以化成美女，如同《聊斋》中的狐狸精，引诱年轻的男子进山。不过，识别它们也有法宝。山妖是有破绽的，如果你去北欧旅游，在人烟稀少的地方碰到曼妙的姑娘，一定要留意她身后是否有毛茸茸的尾巴。进山的女子也不可大意，有些雄山妖也会劫持漂亮的姑娘进山洞,从此音讯渺茫。

挪威戏剧大师易卜生的名作《培尔·金特》里,便有主人公遭山妖戏弄的场景——培尔无意间闯入山妖的洞窟,因拒绝与妖女成婚,遭众妖凌辱与折磨,差点丧命,幸而传来黎明的钟声,妖魔才星散而去。

山妖并不是铁板一块,而是分成三六九等。它们生性慵懒,但循规蹈矩。它们反应木讷,但天真善良。它们离群索居,偏又呼朋唤友。它们远离人又和人有着千丝万缕的联系……看来因为山妖是名副其实的草根阶层,所以才受到百姓们的广泛喜爱。

据专家考证,挪威利勒哈默尔市区北边的自然公园,是山妖的家乡,而在举世闻名的盖伦格峡湾,还有令人毛骨悚然的"山妖的阶梯"。

很喜欢"山妖的阶梯"这个词,缠着莉雅问可否绕道一看?莉雅说那就是极险的悬崖公路,位于鲁姆斯达尔山谷,一弯又一弯,近乎垂直地从山顶盘旋而下,十二道山弯像是一条极细的铂金白链"挂"在山间,因正在维修,我们无法抵达。看我失望,她说,今天的山路其状之险,也约等于"山妖的阶梯"了。

莉雅所言不虚。山路狭窄雪峰林立,以我曾在西藏阿里攀山越岭的经验,也不得不惊叹这行程的陡峻。跋涉数小时后登到顶峰,俯瞰峡湾景致。挪威峡湾是被联合国教科文组织列为世界游览者评价第一的旅游之地,清冽似冰的山风把衣衫鼓胀如帆,刀剁斧劈的孤悬绝壁之下,一泓碧蓝的海水,宛若仙境,美到令人晕眩。你会仰天长叹,相信此处绝非常人的居所,只能是山妖出没的属地。

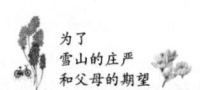

只有贝加尔湖知道

重新回到伊尔库茨克,重头戏就是拜谒贝加尔湖。这一次,和我们同行的导游是个小伙子,名叫万尼亚。这名字很容易记住,因为有个著名的万尼亚舅舅活在话剧里。

从伊尔库茨克出发,沿着宽阔的柏油路前行了大约四十公里,穿过丘陵,先到了湖畔的小木屋博物馆。

一个非常有趣的博物馆,据说是在安加拉河上修建水库的时候,把被淹没的库区的一些木屋搬迁到这里,以保存当地居民的原生态。比起伊尔库茨克城里的那些木屋,这里的木屋更精致、更高大,精彩得让人不相信是建造于几百年前。也许市街两旁的建筑,不过是普通的民居,但这里的木屋是经过遴选的典型建筑,就像北京胡同的小四合院和达官贵人家的府第,均为古建筑,却不可同日而语。有一个木屋据说是一百年前的乡村学校,宽敞明亮,摆着整齐的课桌,足以让今天的希望小学羡慕不已。在老师的桌子上,有一个巨大的地球仪,手一抹,滴溜溜地转起来。对此我心存疑虑:当年俄罗斯乡下的孩子们,就如此胸怀世界了吗?

从这里,可以看到宽广的安加拉河。导游说,再往前走,你可以在安加拉河口看到一块巨石,那是贝加尔湖抛下的绊脚石,企图阻碍女儿的脚步。

传说中，贝加尔湖是爸爸，安加拉河是他美丽的女儿。贝加尔湖兼容并蓄，有三百三十六条河流流进来，却只有一条安加拉河流出去。安加拉河就是贝加尔湖唯一的孩子。女儿到了年龄就要出嫁，父亲为她选中了恋人，就是俄罗斯最大的河流——伏尔加河。但飞来的海鸥告诉安加拉河，有位名叫叶尼塞河的青年非常勤劳勇敢，安加拉河的爱慕之心油然而生，想追随叶尼塞河而去。贝加尔湖断然不许，安加拉河只好趁其父熟睡时悄然出走。贝加尔湖醒后痛苦不已，追之不及，便投下巨石，以挡住女儿的去路。可安加拉河已经远去，为了爱情，安加拉河嫁给了汹涌澎湃的叶尼塞河，向北向北，最终流入了北冰洋。

在故事中继续前行，我们看到了那块被称为"圣石"的巨石，没有想象中那样大，不过屹立在湖河分界处，中流击水浪花飞溅也很壮观。

贝加尔湖几乎是在没有征兆的情况下，突然出现。目之所及皆为蔚蓝，鸥鸟飞翔，水波不兴，湖岸线仿佛画框，将西伯利亚瑰丽的巨大蓝宝石——贝加尔湖镶嵌其中。

贝加尔湖是英文"Baykal"一词的音译，俄语称之为"baukaji"，源出蒙古语，是由"saii（富饶的）"加"kyji（湖泊）"转化而来，意为"富饶的湖泊"，因湖中盛产多种鱼类而得名。根据布里亚特人的传说，他们将贝加尔湖称为"贝加尔达拉伊"，意为"自然的海"。湖形狭长弯曲，宛如一轮明月镶嵌在西伯利亚南缘。南北长六百三十六公里，相当于从莫斯科到圣彼得堡之间的距离，平均宽四十八公里，最宽处七十九点四公里，面积达三万一千五百平方公里，最深处有一千六百二十米，贝加尔湖聚集着全球淡水湖总蓄水量的五分之一。

贝加尔湖水如琼浆般澄澈，有记载说湖水透明度可达四十点八米。湖中有植物六百多种，水生动物一千二百多种，其中四分之三为特有种群。贝加尔湖虽是淡水湖，但湖里却生活着许多地道的海洋生物，如海豹、海螺、龙虾等，据说湖中虾的种类就有二百五十五种。另外，还有两种完全是透明的贝尔鱼。贝加尔湖中有岛屿二十七个，最大的是奥利洪岛，面积约七百三十平方公里。我们问轮船老大，到那个岛上要多久？他说，最少要二十个小时。

贝加尔湖的大，由此可见一斑。

太大的湖和海就没有什么分别了，最大的分别也许是湖水更清澈，看着湖底的水草，会产生一种错觉。想起安徒生童话《海的女儿》，说水面像最蓝最蓝的矢车菊花瓣，在这晶莹剔透的湖底，一定隐藏着另外一个世界。

万尼亚从船舷摘下一个水桶，把桶抛下，荡起绳子。小桶折着筋斗翻进湖中，盛满水后被拔起来。万尼亚举着滴滴答答落着水珠的小桶对大家说，请，喝吧。

我们说，就这样喝？

记得在莫斯科，导游再三告诫我们，俄罗斯的自来水是不能直接饮用的。在饭店买一瓶水，要合人民币近二十元。我们基本上已经习惯了每天为自己的饮水支付款项，现如今一下子看到如此多的免费洁净水，受宠若惊将信将疑。

万尼亚说，贝加尔湖中心的水是可以直接饮用的，非常洁净。在盛夏，水温也只有三摄氏度，冰镇的，矿泉水。

我们就一仰脖，咕咚咚喝下去，果真甘美如泉。

我和万尼亚站在船边看天上的流云，万尼亚说，我很想请教您一个问题。

我说，你尽管说。如果我知道，一定告诉你。如果我不知道，这船上还有那么多人，我可以帮你问问大家。

万尼亚是个三十岁出头的小伙子，汉语说得不错，去过中国。他说，我的问题是，为什么你们中国人对贝加尔湖情有独钟呢？

我说，你知道我们汉代的苏武牧羊吗？

他说，知道。说到这里，他手搭凉棚眺望天边，蓝色的眸子反射出天空的白云。他说，每次来到贝加尔湖，就会想，当年你们的苏武，在这里的哪个地方牧过羊呢？

大地苍凉。是啊，他一个外国人在想，我这个中国人更要想了。

贝加尔湖周边是无尽的山脉和丘陵，历史上这里曾是中国北方部族的主要活动地区。现在是盛夏时分，正是这里最好的季节，在船上还感到沁骨的寒意。一过了9月，严寒就奔驰而来。秋天，湖畔在零摄氏度左右，而周围山峰和盆地零下三十至四十摄氏度，巨大气压差形成强大的风暴——贝加尔季风。到了冬天，更是锥心刺骨的寒冷。据当地人说，温度可达零下五十度。如果你走到外面猛地呼吸一口冷空气，那你就对自己的呼吸系统的分布有了最形象的了解。你会知道腔子里所有的气管走向，每一个肺泡都变成冰珠子。贝加尔湖湖面就是一整块巨冰，把天地万物的每一丝暖气都吸入脏腑，几米深的积雪将所有的地方都覆盖成一片银白。

苏武是公元前1世纪的汉朝人，当时中原地区的汉朝和西北的匈

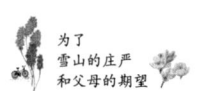

奴关系时好时坏。公元前100年，匈奴政权新单于即位，汉朝皇帝为了表示友好，派遣苏武率领一百多人，带了许多财物，出使匈奴。不料，就在苏武完成了出使任务，准备返回自己的国家时，匈奴上层发生了内乱，苏武一行受到牵连，被扣留下来，要求他们背叛汉朝，臣服单于。单于看到软硬兼施对苏武都没有希望，又不想让他返回中原，就把苏武流放到西伯利亚一带。单于对苏武说："既然你不投降，那我就让你去放羊，什么时候公羊生了羊羔，我就让你回到中原去。"

苏武被流放到了人迹罕至的贝加尔湖边，唯一与苏武做伴的，是那根代表汉朝的使节棒和一小群羊。苏武每天拿着这根使节棒放羊，心想总有一天能够拿着回到自己的国家。这样日复一日，年复一年，使节棒上面的毛都掉光了，苏武的头发和胡须也都变白了。十九年后，当初下令囚禁他的匈奴单于已然老死，新单于执行与汉朝和好的政策，汉朝皇帝立即派使臣把苏武接了回来。苏武受到热烈欢迎，从政府官员到平民百姓，都向这位富有民族气节的英雄表达敬意。

万尼亚说，苏武牧羊就在此地，那个时候，还不是你们的国家啊。

我说，那时这里是匈奴的地盘，匈奴后来也成了中国的一部分啊。

万尼亚说，好吧。就算是这样吧，但现在贝加尔湖是我们的。

我无言。

是的，现在，贝加尔湖不是中国的。这也是千真万确的。我们只有尊重国境线。

想起一件往事。有一次，在北京会见蒙古国作家团。友好气氛

为了雪山的庄严和父母的期望

中,作家团的团长说,我们代表蒙古国作家,送给你们一件礼物,是一张画在皮革上面的画。说着,就展开了一幅尺把长的皮画,上面绘着一位身穿蒙古服装的英武汉子,面如重枣,稀疏的胡须被归纳成几绺垂在下颌上。

蒙古作家团团长说,这就是我们民族伟大的英雄和开国元勋……中国作家很尊敬地走过去瞻仰。团长说……他就是成吉思汗。

当时就想起了鲁迅先生那段著名的论述——到底是他们的汗还是我们的汗呢?

当然先是他们的汗了。

扯远了,还是回到贝加尔湖吧。

贝加尔湖是美丽的,也是珍贵的。凡是美丽而珍贵的东西,都应该珍惜。在俄罗斯,作家是保护贝加尔湖的重要力量,其中最突出的是著名作家拉斯普京。我们今天还能看到的一尘不染的贝加尔湖,并非只是天然的恩赐。贝加尔湖也曾面临过肮脏的污浊,只是由于人民的力量,湖水才依然清澈。

航行至贝加尔湖深处,万尼亚拿出几个小戈比,发给我们一人一枚。我们说,干什么用呢?

万尼亚说,看我的。说着,他就一扬胳膊,把戈比投向远远的湖水。他说,把硬币交给贝加尔湖,然后许一个愿,不要讲出声来,就放在你心里。贝加尔湖会听到的,它会帮助你实现愿望,很灵的。

我们感谢他的好意,依次把手中的戈比投向贝加尔湖。

我的那枚硬币画出一个流畅的弧形,边缘如切割圆木的轮锯,划开贝加尔湖水晶般的湖面,缓缓降入。正好轮船的航向略有改变,经过硬币沉没的地方。贝加尔湖的水非常清澈,我看到那枚褐红色硬币在碧绿的水草中漂荡,衬着垩白色的湖底岩石,宛如大幕前舞蹈的精灵。

  至于我的那个愿望,不告诉你。只有贝加尔湖知道。

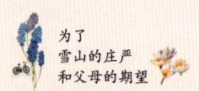
为了
雪山的庄严
和父母的期望

啊，原来你是一只老虎

在美国，参观过几所中学。有贫民区完全由政府资助的免费的公立学校，也有肯尼迪的女儿曾经就读的有百年历史的私立贵族学校，还有专为新移民的孩子建立的双语（英语和母语）学校。在不同的学校里，我都和华裔的孩子们有过交谈，留给我的感受真是一言难尽。

我也是一位母亲，尤其是喜欢女孩子，但没有女儿，所以看到了别人的女孩子格外亲。不是吹牛，我和女孩子有一种特别的亲和力，也许是因为我特别喜欢她们，也许是因为我长得像一位操劳的老阿姨，让女孩子们一见之下就想到了她们爱唠叨的老邻居。

先说纽约哈林区的那所公立女中。哈林区是以黑人为主的聚居区，也有很多少数民族裔，是比较贫困和治安秩序混乱的地区。外交部官员比尔从饭店接上我们，一直陪着我们在纽约的地铁里穿行，直到从哈林区的车站钻出来，把我们交到校方来接我们的弗德姆老师手上，这才离去。

我说，比尔真是一个热情的人。其实，凭着地图，我们自己来，也找得到啊。

安妮说，比尔不单是热情，更是负责任。因为这里的治安不好，他不放心，所以要看到我们平安地到达，他才肯离开。

弗德姆老师是个高大的白人青年，大学毕业后到这里来当老师，已经两年了。他说，是这样的，我刚来的时候，就遭了好几次抢劫，喏，就在前面不远的地方。

正是阴天，狭窄而脏乱的街道，更蒙上了一层晦暗。有一些游手好闲的人，在巷子口挤眉弄眼地看着我们。我吓了一跳，说，那您估计今天会发生这种事吗？

弗德姆老师说，大约不会的，因为他们已经认识了我。知道我是这里的老师，他们就不抢我了。如果有别的不认识的人抢我，他们还会出来干涉，说这是教书的老师，来教我们的孩子，放了他吧。

这样说着，我的心稍稍安定下来。看周围的建筑，低矮破旧，和曼哈顿岛上繁华的风光天壤之别。

学校倒是一座崭新而现代的建筑，收的学生都是女性。走进去，墙壁被刷成五颜六色，给人一种跳跃的青春感。因为孩子们正在上课，我只能趴在门口匆匆看看。很喜欢这儿的课桌不是摆成规矩的方阵，而是像吃饭似的，四张桌子拼在一起。同学们面对面地坐着，彼此吐一口气，就吹到对方的脸上。老师教课的时候，就像个饭店的服务生，在桌子之间走来走去，边走边说……

我说，嗨！有趣。我很喜欢这种有些混乱的课堂，有一种游戏感，让沉重的功课变得轻松些。

弗德姆老师说，女孩子们都喜欢这样的桌椅摆法，也许，这是女性的特点。

我说，我猜男生也会喜欢这样的摆法，它让僵硬的教室变得

为了雪山的庄严和父母的期望

活泼。

弗德姆老师微笑不语。我估计他可能有统计数字，证明男生更热爱循规蹈矩的教室。

这时候，正好安排我与一班女孩子们的座谈课开始了。她们围成一个半圆，我坐在她们的对面，就是半圆仪中间开孔的那个位置。女孩子们十三四岁的样子，皮肤有白色、黑色、黄色、红色……还有若干从浅到深的中间色。

我说，我先来做一个自我介绍，让你们先认识我。然后，你们就要给自己做一个介绍，让我认识你们。如果有什么不清楚的地方，你们可以随时打断我。

我说，我来自中国……

孩子们立即开始举手。我说，有什么不明白的吗？

一个黄皮肤的女孩子不客气地说，请问，你来自哪一个中国？

这是我第一次注意到她。说实话，这是一个很俊秀的女孩子，而且我有直觉，她不但是亚洲裔，而且是华裔。

我说，你能告诉我，你为什么会问这个问题吗？

黄皮肤女孩说，我知道世界上有三个中国，一个是香港的中国，一个是台湾的中国，还有一个是红色的中国。

我看到有好几个女孩频频点头，看来此说颇有市场。

我说，我要告诉你，世界上只有一个中国，我就是来自那里，它的全称叫作中华人民共和国。你说的那个香港，是中国的一部分，原来被英国人租借了去，在1997年已经回归中国。至于你说的那个台湾，是中国的一个岛，也是一个省，是中国几十个省中的一个。

女孩子们轻轻地笑起来，好像明白了一个很困难的问题。

黄皮肤的女孩说,据我所知,就算你把那三个地方都叫作一个中国,可是实际上它们是非常不同的。

我说,你说的有点道理,这三个地方是有很大的不同,可是我不知你想过没有,它们还有更多更多相同的地方。不同只发生在这一个世纪中,还不到一百年,但相同的部分流传了五千年,从很久很久以前的公元前就开始了。一百年比五千年,谁长谁短?

听众一片哗然。

我发现美国民众对于时间的概念,是很容易惊奇的。也许因为新中国成立的时间比较短,对那些悠久的历史,总是抱有半是羡慕半是敬仰的愕然感。

黄皮肤女孩好像若有所思,但她很执拗,稍停了片刻,就说,我是出生在美国的,我不知道这三个都称自己为中国的地方,有什么相同的东西。

我说,那个相同的东西就是文化。也许这样说,太空洞了,如果你不介意,你能告诉我你的年纪吗?

黄皮肤女孩还没来得及答话,其他的女孩子就大叫起来——我们都是十四岁!

我微笑着对黄皮肤女孩说,那我就知道了——你属虎!

那一刻,这个执拗的女孩好像被一支箭射中,立刻变得柔软而妩媚,笑起来说,你怎么知道的,我是属老虎的?

我说,这就是文化的力量啊。

我转向全体女孩,说,我知道这样一个小故事,也不知是真是假。那年,美国总统第一次访问中国,我们的总理给他一个谜语猜。谜面是:你有一个,我也有一个,整个中国只有十二个。这是什么

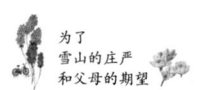

东西？你们的尼克松总统很聪明，他猜出来了，这就是中国的属相。中国用十二种动物代表十二个年份，循环往复以至于无穷。于是，每个中国人在出生的时候，就有了一个属于自己的属相。

我又把脸转向了那个黄皮肤的女孩，我说，这就是文化啊。不但在中国的大陆、台湾和香港的中国人是这样的，连离开了这些地方，到了海外的中国人，也依然记得这个风俗。所以，你的爸爸告诉你，要你记住，你是属老虎的。

我说到这里，黄皮肤的女孩连连点头，她的同学们更是激动不已，纷纷叫着她的名字说，哈！想不到，你竟是一只老虎！

她自豪起来，说，对，我就是一只老虎。脸上的神气从先前的隔绝变成快意。

我又到了另一所贵族女中。听说这是纽约最负盛名的私立女中，以为一定豪华莫名。其实它的外表倒很朴素，门脸也不大，很宁静的样子，并不像国内的某些私立学校，排场大得吓人。

校方组织了四位女生同我谈话，就在学校学生餐厅里。塑料的桌椅，颜色是鲜艳的明黄粉蓝，很有蓬勃气息，但实在算不上高档。

几位女孩子来了，很开朗的样子，落座后眼光一点也不怕生，友好地向我微笑。其中一位黄皮肤的女孩，第一句话就是：我是中国人。发音那叫一个地道，简直就是一口京片子。

我特高兴，虽然离开北京时间并不算太长，但什么抵得上"他乡遇故知"啊！我说，你的中国话说得真好，你到美国多长时间了？

她接下来的反应，倒让我迷惘。她不能回答我的问题，只是很窘迫地看着我，再求援地看看安妮，看来是希望安妮为她翻译我的

为了雪山的庄严和父母的期望

问话。

安妮善解人意，立即帮助她。

女孩子笑了，回答道，我是在美国出生的。

我有点失望，原来还以为是遇到了一个中国籍的老乡，没想到还是美国人。按照美国的法律，在美国出生的人就是美国人了。但我很快调整了自己的情绪，觉得自己的一厢情愿没道理。顿一顿，对女孩说，你的中国话说得真是不错啊。

她又是莫名其妙的样子，安妮又为我们翻译，我这才发觉自己没话找话，把刚才的意思又重复了一遍。也猛地醒悟过来，这女孩只把一句"我是中国人"练习到了炉火纯青的地步，从语调到发音，都无可挑剔，让人以为她是个中国通。然而对其他的中国话，就一头雾水了，只有借助翻译谈话。

女孩子很骄傲地告诉我说，父母去年带她回了一趟中国，去了北京、西安、广州等地，那时候，她的中国话说得要比现在好多了，现在不好了。

说到这里，她很遗憾地耸耸肩头，一个纯粹美国人的表达方式。

校方说，这所学校，现在越来越多地录取亚裔学生，这四位学生中就有两位（另一位是韩国裔）。一方面是因为美国的新移民在增长，亚洲国家的发展，使得他们成了新的富翁。另一方面是亚洲国家的传统非常重视教育，由于学校悠久的历史和良好的声誉，使得他们非常愿意送自己的孩子到这里来读书。

华裔的女孩子在纸上为我写她的中文名字，她写得很认真，但笔画错误甚多，有几处倒插笔。写完了，细一端详，发现少了一笔，马上又横着添上去。不像是在写字，倒像是在画一幅路线略图。完工后，她很自豪地递给我，期待着我的表扬。

我选择了很热烈地表扬她。她特高兴。她的同学也充满了敬佩地看着她。

我长大了以后，要回到中国去。她很坚定地说。

你的爸爸妈妈会同意吗？我说。

我想，会的。即使不同意，我也会去的。女孩说。

告辞的时候，她又很精确地说出了汉语的"再见"，说完，眼巴巴地看着我。我知道这又是一个她反复操练过的汉语，就夸她，你的汉话说得很好啊！

她又一脸听不懂的样子。安妮把这话译给她，她灿若桃花地笑了。

出了校门，安妮说，在美国的华裔中，这个女孩子算是比较特别的。

我说，为什么呢？

安妮说，你夸她国语讲得好，她很高兴啊。

我说，这有什么奇怪的呢？假如在中国，有一个英国人，夸一个中国孩子英语讲得好，这个孩子难道不高兴吗？

安妮说，在中国，我想你说得对。但是在美国，事情就有些两样。美国的华裔孩子，很多把不会说母语当成是自己的荣耀。你夸她说得好，就相当于骂她，证明她还没有化入美国。这个孩子，因为她很自信，并没有自卑心理，所以才那么坦然地接受了你的夸奖，这是一个特例。

我觉得安妮的话很有见解，但我不能肯定她说得是否全对，我还要用自己的眼睛看看。

到达旧金山，我们又到了一所专为新移民的孩子开办的学校。为了帮助他们过语言关，学校采用双语教学。对刚从故国来的孩子，就用母语教学。过了一段时间，如果他们的外语过关了，就转入英语教学的班级。这次和我座谈的孩子，就是国语班的。

今天我可以比较轻松了，因为您用华语演讲，我就不必给您翻译

了。安妮说。

我说,不知那些孩子脱离了汉语的环境,能否听得懂我的话?必要的时候,还得请你帮忙啊。

安妮说,我会安静地坐在教室的最后面,需要我的时候,我会马上帮助你。

我们这样说着,到达了学校的大门口。说实话,这是我在美国见到的条件最差的学校,校舍的墙壁上有痰迹,油漆脱落,颜色灰暗得如同发了霉的面包,厕所很脏。

见到了那个班上的老师,一位台湾来的朱小姐,椭圆的脸,标准的国语,友善的笑容。看得出,她是一个敬业和爱孩子的老师。

她说,您随便讲什么都可以,我的这堂课,就是专门让孩子们开阔眼界的。

我站在讲台上,看到下面的学生一脸顽劣神色,好像国内的差班。我对他们的语言能力不摸底,就问,我讲国语,你们听得懂吗?

没有任何人回答我,好像是对着一批蜡做的娃娃。

我有点慌张,看着安妮。安妮平静地看着我,我知道,如果我发出请求,安妮是会帮助我的。我等待着,但那些孩子们的耐性看来比我好,木僵着,一言不发。小朱老师看不过去了,对我说,您尽管说,他们什么都听得懂的。

没有笑容,没有眼神的交流,更没有丝毫默契的友善,有的只是冷漠和回避。

我演讲的经历不算多,上百场总是有的,还从未碰到过这种剃头挑子一头热的局面,没办法,就自顾自地讲起来。

为了雪山的庄严和父母的期望

我说，旧金山在海的这一边，越过浩瀚的太平洋，在海的那一边，就是中国。我来自中国，那是一个伟大而历史悠久的国家。关于中国，我想知道，你们都了解哪些？谁能告诉我？

冷冷的，又是没有一个人理我。

尴尬。我拿出一个纸包，说，如果谁答对了，我有一个从中国带来的小小的礼物，就送给他。

孩子们起了轻微的骚动，看来是礼物引起了他们的好奇。一个孩子终于张口了，说，嗨，能让我们知道礼物是什么东西吗？

我说，可以。它是中国的风景明信片，礼物很轻，但是那上面有中国的美丽风光，它就变得重了。

说实话，我很想拿出更隆重一点的礼物送给孩子们，但因为访问已接近尾声，礼物储备告罄，昨晚上在宾馆把行李翻遍，这才找到了一盒中英文对照的卡片，表表心意。

孩子们的情绪稍稍活泼了一些。我说，我想知道你们是从哪里来的？

新一轮冷漠开始了，没人理我。他们所有的人都彼此知道出处，只有我不知道，他们不屑告知我。但这个问题对我来说很重要，我不了解他们，座谈就无法进行下去。

我几乎一筹莫展了。小朱老师不好意思，站起来伸出援手，指点着她的学生说，这个是香港，那个是台湾，剩下的都是大陆中国……

于是我明白了，我面对的几乎就是一个专由大陆学生组成的班级。可是他们全无大陆上这个年纪的孩子的生动与活泼，他们是灰暗和阴郁的，垂头丧气，在沉默中有一种压抑的抗拒。

我一时真的不知再说什么好，先前准备的一些话，似乎都成了多余。告知他们祖国的明媚,那是他们背离的地方。告知他们在这里必将遇到挑战,他们的感触比我要深刻得多。我反复咳嗽,拖延时间,一时很是狼狈。终于,我想到了一个话题,依我的经验,每个孩子都不会对这个问题缄默。

我说,你们能告诉我,在美国,长大了之后,你们想干什么?

果然,他们低垂的眼帘挑起了半幅,我看到了一点希望。

一个高个子的男生站起来说,我是从上海来的,我的作文以前在上海的作文大赛中得过奖。我希望长大之后成为一名作家,但是,我知道,我的理想实现不了。

我说,我先祝贺你。上海是人才荟萃的地方,你能得奖,这很不容易,但你为什么又说自己的理想实现不了呢?

那个俊朗的男生说,因为我的父母不会让我写作的。他们已经为我定好了以后的发展方向,我必须要去上会计专业,他们说,这样会有比较稳定的收入。

我说,你喜欢学会计吗?

他还没来得及回答,他的同学们就哄笑起来,说,你的数学那样差,你还当会计呢,你算得清账吗?

那个男生羞惭地低下了头。小朱老师又马上出手,让她的学生不致太难堪。

一个女孩子站起来说,我想当一名医生,可是,我可能当不上。因为医学院的学费很贵,我的爸爸妈妈掏不出这笔学费。就算他们能掏出来,我也很难考上。因为我的英语不好,其他的成绩也不很好,医学院的分数是很高的。

教室里一片寂静,听得见窗外黄叶飘零的声音。这个女生的话,

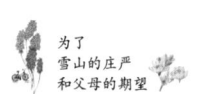

说出了大多数孩子的困境。即使他们有五颜六色的理想,在金钱和语言的双重枷锁之下,脆弱的翅膀能飞多远?

最后我说,我想你们的爸爸妈妈一定说过,我们这么辛辛苦苦地到美国来,做新移民为的是什么呢?就为的是你们啊!你们背负着家庭的期望,感到了巨大的压力。

我第一次看到了全教室孩子们的脸,他们齐刷刷抬起头来,看着我,长长睫毛的眼里满是迷惘和困窘——或许是这些话击中了他们柔弱而稚嫩的心。

那个上海的俊朗男孩说,是啊,我的爸爸妈妈不停地这样唠叨,天天说他们全是为了我,才背井离乡地到美国来了。我不服气,分明是他们做的主,我才不愿到美国来,是他们非要来的,要是依我的想法,我马上要回上海去……

这一刻,我听到几乎全班都深深地叹了一口气。我还从来没有听到过如此年轻的孩子,这样苦闷深沉的叹息,悠长而无奈。

我不想让谈话在凄楚的气氛中收束,我说,我知道作为新移民的孩子,你们现在很难很难。你们心中的焦虑,也许比你们的父母更甚。回去,几乎是不可能的。只有一条路,就是迎接挑战,走下去。送大家一句中国的古话——也许它也不能算很古,反正是我在西藏当兵的时候,常常鼓励自己的一句话,那就是——坚持就是胜利。

好不容易下了讲台,小朱老师对我说,你讲得真好。

我说,这是我做过的最艰难的一次讲话,比我对大学的博士生和监狱里的犯人讲话还难得多。你天天做他们的老师,也很不容易啊。

告辞出来,满地是萧瑟的黄叶。我说,有多少人知道新移民的孩子心中的忧愁?

安妮说,移民的第一代,就是这样艰难地走过。他们是边缘人,他们自卑,他们难以融入主流社会,他们中的某些人,会把这一切迁怒于自己的祖国。他们希望美国人忘记他们新移民的身份,他们要做的,就是变得比一个原生的美国人更像美国人。在他们之中,当一些人积聚了足够的财富之后,有了更多的思考之后,他们才会在更高的尺度上,看待祖国的文化,以做一个中国人的后裔而为荣。在现今的美国,这样的华裔是很少的。所以,我说,在那所贵族学校里的那位女生,是一个例外。

谢谢安妮所给予我的启示和指点。说实话,那一天,我整个心情抑郁不堪。这些孩子是我见到的最压抑的孩子,他们丧失了快乐,丧失了与人为善的习惯,丧失了反应与说真话的能力,他们的少年时光被阉割肢解。他们的情形,令人想到没有归属感的蝙蝠,想到黑色与夜晚。他们是从祖国的土地上连根拔出,在新的土地上又动荡漂浮的秧苗。我明白他们为什么有那样迟钝的眼神,那是惨痛的自

为了雪山的庄严和父母的期望

发的保护。要练就怎样无动于衷的心态，才能抵御这种文化的休克和剥离的凄凉？

我猜这些少年心中，定有成人所难以体味的痛楚。他们不说，他们无法言说。没有人能察觉，甚至连他们的父母也未曾知道这深深的重创，是怎样把淋漓的鲜血从幼嫩的心房连绵不断地刺出的……

我对安妮说，我希望他们之中将来有人成为优秀的心理医生，做跨文化的心理学研究，以帮助一代代新移民的孩子度过转折中的艰难时期。

安妮说，在美国，看心理医生的费用很高。即使有了这样的医生，新移民的孩子，也未必看得起啊。

第二辑

用心触摸世界的美好

灵魂就算不能像烛火一样照耀着我们的行程,
起码也要同甘共苦地跟在后面,
不离不弃。
否则我们就是一具飘飘荡荡的躯壳在蹒跚,
敲一敲,
发出空洞的回音,
仿佛千年前枯萎的胡杨。

消音器和指示针

在美国的一些心理机构访问,礼节性的交谈之后,我总是提出实地参观一下他们的心理辅导室。为什么会提出这个要求?主要是想看看人家是怎样布置心理诊所的,有点百闻不如一见的意思。打个不很恰当的比方,就像一个准备买房子的人,到别人家里做客,总忍不住要对主人说,我能看看你们各个房间的陈设吗?当然了,私人空间和公共空间的保密度是不一样的,这另当别论。

美方的心理服务机构,一般都会很热情地满足我的要求。有的时候,他们也会很抱歉地说,对不起,我们的心理医生正在工作当中,不能打扰他们,咱们只能在心理辅导室的单面镜后面看一下。

一次,我悄悄地同负责接待我的临床心理医生来到观察室的单面镜后面。观察室很大,很空旷,除了若干椅子和一面巨大的单面镜之外,几乎没有其他的陈设。不难想见,在必要的时候,这里可以容纳一大群人,在单面镜的后面虎视眈眈地瞄着辅导室内的情况。

我们凑到单面镜前,看到在室内坐着若干人,围成一圈,正在说着什么。临床心理医生介绍道,这是一个专为抑郁症病人开设的小组,他们每周活动一次,已经有几个月了。我一边观察,一边低声

为了雪山的庄严和父母的期望

问道,哪一位是组长呢?临床心理学家笑起来说,您不必那么小心。这里的隔音设备是一流的,我们可以非常清晰地听到他们的对话,但我们无论怎样喧哗,他们是听不到的。至于谁是组长,我先不告诉您,不妨请您猜猜看。

我看到一个中年男子,神采奕奕,腰背挺得笔直,就指点着说,他大约是组长吧。

临床心理医生笑起来说,错了。他不是组长,他是组员。我要把你猜错的结果告诉我的同伴,也就是真正的组长,这说明他的小组的治疗是很有成效的。是的,这个人已经从抑郁的状态中走出来了,不但你看着他不像个病人,我看也不像呢。

我说,那么谁是真正的组长呢?

临床心理医生指着一个人说,他就是。

从单面镜后面看过去,只见那个人眉头紧锁,面容忧戚,肩膀下垂着,嘴角抿得紧紧。

我说,这个组长的神情倒是很像个抑郁症患者呢。

临床心理医生说,他一投入工作,就是这副神情。我们也常常说他,在你的小组里,你是最像抑郁症的一个人了。这也许正是由于他的敬业。

临分手的时候,我问,辅导室有单面镜这件事,你们告知来访者吗?

临床心理医生回答,我们告知他们。我们说,这个设备对你们的治疗是有利的。他们刚开始有些顾忌,但随着治疗的深入,很快就忘记了。

我的一颗心这才放下来。

我在美国所见到的心理辅导室,房间都不很大,甚至可以说是相当狭小的。这当然不是出于金钱的计算,而是专业的考虑。屋内陈设简单,一般只有两只低背的沙发,彼此呈四十五度角摆放着,中间没有茶几阻隔。有几个柔软的棉布垫子散乱地放在一边,有家的温暖的味道,但并不过分的温馨豪华。有一个朴素的花瓶,有一点并不喧宾夺主的花,不是很鲜艳,但绝对是生机勃勃的。墙壁的颜色很柔和,但没有很多的装饰品。灯光是属于明亮中偏暗的那种,清静而不炫目,门窗的密闭性能很好。总之,所有的陈设都有一个基本的出发点,那就是简洁、宁静、亲切而富有人性,适宜进行推心置腹的谈话。

后来我还到过一家有着多位心理医生的诊所,在每间辅导室的地面,都有一个类似蚊香盒的东西。一般摆在门后,塑料的外壳,看得出是个电器玩意儿。我说,这是什么?

主人说,这是消音器。

我有点尴尬。说实在话,也许是我的孤陋寡闻,我真的不知道消音器是干什么用的。当然了,可以顾名思义,就是一个消除声音的仪器呗。但我还是弄不清楚,这个仪器是能像厕所里的吸臭剂,把声音吸收进去,还是一个类似无声手枪上配置的附件?我不能糊里糊涂地让这件事过去,于是,硬着头皮问下去。您能详细地向我介绍一下消音器的工作原理吗?

主人很惊讶地说,工作原理?它没有什么工作原理,很简单的。

说着,主人就把消音器打开了。原来,它是一架录好了某种特

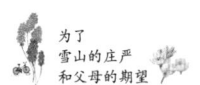

定声音的小仪器。打开来,拨到不同的频道,它就可以发出特定的声音。比如,类乎鸟鸣,类乎溪水,类乎风声……音量不大,音色柔和,尽职尽责并持之以恒。

见了实物操作,听了介绍,我恍然大悟。原来,为了让来访者最大限度地得到安全感,谈话开始之前,心理医生会征询来访者的意见,是否需要打开消音器。如果需要,消音器的声音就会在整个谈话期间,弥漫在小小的辅导室内。这样,会让来访者更安心,觉得即使有什么人有意无意地在门外偶然走过,听到的也是经过干扰的声音,谈话的内容就更加私密了。

我还看到辅导室外的门框上,有一组五颜六色的指针,有点像国内生产的晾晒毛巾的架子,聚拢起来是一把,散开来就像伞骨。

我说,这是干什么用的?

主人明显地兴奋起来,说,这可是我的专利。你知道,我们这里有若干位心理医生,但是并没有那么多相应的心理辅导室,就是说,每个人的工作场所是不固定的。我们这里工作繁忙,经常有来访者预约或是突发情况,都需要精确地知道某位医生此时此地在做什么。但心理辅导中有一条规则是很严格的,那就是医生在和来访者交谈的时候,不可被打扰。为了病人的利益,这是非常必要的。一边是不可打扰,一边是需要知道医生的状态,是个大矛盾。怎么解决呢?我就发明了这组指示针。我请每个医生为自己挑选一根针,比如我自己,就选了一根粉红色的针,很醒目,是不是?有的人选了绿的,有的人选了蓝的,随你的便,都登记在册,大家彼此都记得别人的颜色。你注意到了这根黑色的针吗?这就代表着来访者。黑

为了雪山的庄严和父母的期望

色是庄重和严肃的颜色，代表着神圣不可侵犯。如果是我在此和来访者交谈，我就会把粉红色的指针和黑色的指针一同竖起来。那么，除非是有十万火急的情况，否则谁也不可推开这扇门，谁也不可打扰我们。如果只是我借用这间房间阅读或是工作，那么，我就把粉红色指针单独竖起来，情况就要简单一些。你可以斟酌，是不是敲开这扇门。对我们来说，黑色，也就是来访者的利益，是最最重要的。

这些话，让我感动了许久。

十一块宝石婴孩的项圈

美国的老妇人,多半化着很浓的妆。在美国,是不可以打探女士的年龄的。当然,女权主义者在此规矩之外。我曾会见过美国女权主义的领袖弗里丹女士,见面寒暄之后,她出口的第一句话竟是——你们多大年纪了?

时下有一种看法,觉得不打听年纪是文明的举措,打听了,就是原始社会的陋习,是没教养和愚蠢的行为。也许我是当医生出身,把年龄看成是光明正大的东西。君不见病历和处方笺上,都赫然列着年龄一项,万万不可疏漏过去的。年龄和一个人的关系太密切了,每个人都是年龄的产物。年龄像一把旋刀,削磨着我们的轮廓和意念,铸成了不同的框架,人生就在这样的框架中,演出着各自的剧目。每个年龄阶段遇到的问题,是不相同甚至是很不相同的。孩子产生着成长中的烦恼,他无论怎样激进与酷,也不会遇到自己再婚的事件。到了青年,就有了新的问题,比如恋爱交友,但他不会有老年性痴呆的烦恼。到了老年,就不会有青春期发育的问题,有的只是眷恋和怀旧……这些问题,不谈年龄,如何能把症结的实质穿透?所以,当我对自己面前的谈话对象的年龄无法明确把握的时候,我对整个谈话的质量,就会生出一种不信任感。我觉得耻谈年龄,

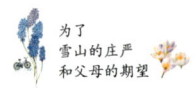

是一种不文明的陋习,它是对女人的歧视,是男性文化中心的糟粕。好像一个女人的价值就在于她的年轻,说到底,年轻的代名词就是有生殖的能力。当一个女人的这种能力随着年龄的增长而渐趋衰退的时候,她就极大地贬值了。为了维持住这种虚假的繁荣,女性在年龄面前自己挤眉弄眼不算,还期待着全世界的人齐患白内障。

在老人院里,我依然无法知道他们的年龄,只好猜测。当过医生的人,眼光比较毒辣,我猜人年龄的本领相当高强。无论她化着怎样铺天盖地的妆,都能剥开那些芬芳的粉底,将她真实的年龄掐个八九不离十。有时,反问自己这样是否有些残忍了?那人拼命要掩盖的东西,我却要毫不留情面地剜出来,也许应了估计的误差,我估的会比她要藏的更深,岂不弄巧成拙?

我看到美国的老人基本是孤单的,他们没有和子女合住的习惯,风俗里没有这个东西,大家都觉得子女一旦长大,就理所应当地脱离父母的羁绊,远走高飞。在一个年轻的国家,在一个瞬息万变的时代,我相信这是一种单方面的利好,是一个有利于年轻人的约定俗成。也许我来自一个古老的国家,也许我是浸透着另外一种文明生长的动物,我总是在那些老年人浓墨重彩的脸上,看到若隐若现的凄凉。

我在走访伊利诺伊州立大学时,会见了妇女研究中心的安诺森博士。她说,按照国家的劳工政策,照顾孩子是工作,照顾老年人也是工作。但相比之下,美国是一个把孩子看得比老年人更重要的国家。比如,按照《克林顿法案》,如果个人有需要,可以离职六个月,照顾老人或是孩子,你供职的部门要保留你的公职,但不付工资。在法案实施以后,有人请假照顾孩子,但没有人请假照顾老年人。在社会心理上,认为赡养老年人只是一种职责,而不是工作。

为了雪山的庄严和父母的期望

其实，很多人都知道，照顾一个濒危的老年人，其工作量比照顾一个孩子要更多，而且，心理上承受的压力也更大。孩子是一天天地成长起来，你可以看到希望。而老年人是一天天地衰败下去，你不但要自己支撑得住，还要给他以支持。长久以来，照顾老年人，被看成是个人的责任，而不是社会的责任。这就使得老年人的生存状态很不稳定，它取决于后代的一种道德水平，而难以得到整个社会的监督和制约。举个简单的例子，如果学校要开家长会，做父母的都会欣然请假，老板也会准假，大家都认为这是理所应当的事。但是，如果一个人的父母在养老院里住着，养老院要开子女会，子女会同样做到如此吗？老年人的问题，说到底，也是年轻人的问题。如果一个社会无法让老年人得到保障，年轻人就会很没有安全感，因为人人必定都会老的，一个没有安全感的社会不是一个完美的社会。

这席话说得很好，这是一个人类面临的共同的问题。

我在一位乡下的老奶奶家里，看到她精心贴制的相片簿。她已八十七岁，簿子里，有她周岁时的照片，还有她曾祖父和曾祖母的照片。想想看，多么久远的家族史，相片中的人物穿着福尔摩斯式的服装，笑容意味深长。照相术是西方发明的，他们得天独厚。所以，我在中国的家庭里，从来没有看到过这样成体系的照片阵营。老人家把照片，按照人物和时间排列组合，从树根到树枝，每一根枝杈都交代得很清楚。于是我们在照片上认识了她所有的叔叔和姑姑还有姨姨们，以及他们的配偶，包括离婚和再婚的沧海桑田。当然，这棵大树的主干，是女主人自己。我记得她招呼我们来看她的影集时那神采飞扬的样子，好像一个清纯少女。她喊着，快来看啊,我那时像嘉宝一样迷人!

老人家还真不是吹牛,她年轻的时候,雍雅非凡。

古树小的时候,枝叶繁茂。嘉宝奶奶读书的照片、打篮球的照片、郊游的照片、旅游的照片……如春天的花瓣映入眼帘,让人目不暇接。以后是结婚生子,四处迁徙,岁月更迭,丈夫逝去……到了嘉宝奶奶晚年的时候,大树已被岁月蛀空。黄叶飘零,先前出现的诸多人物,一位位销声遁迹,大约已魂归天国。新生的绿叶们,童年照还是很密集的,但走出校门之后,身影就渐渐稀疏,戛然停止在结婚照的阶段,便了无下文。

我正要感叹,翻过一页,但事情又有了转机,出现了一大长溜婴儿的周年照片,个个如同天使,可爱至极。我问,这都是谁啊?

嘉宝奶奶的脸,如同涂了釉彩一般闪亮起来,她用圆而开裂的手指肚点着照片告诉我,这个是外孙,那个是孙子,这个是孙女,那个是外孙女……

我说,这些婴儿真好看,真好玩,真想抱抱他们。

嘉宝奶奶有些古怪地看了我一眼,咕噜着说,好玩?你可抱不动他们。他们如今都是成年人了,最小的也有二十多岁了。

我说,他们现在在哪里呢?

嘉宝奶奶说,不知道,不知道他们的确切地址。他们的爸爸妈妈只是在他们出生以后,寄来这样的照片,以后就再也没有他们的消息了。可能,还好吧?我很想他们,可是我想,如果不是他们特地来找我,我就是在街上看到他们,也不会认出他们来的。

那一瞬,嘉宝奶奶的脸上的釉彩剥脱了,遗下斑驳的水渍。

我想,老人家的要求并不高,她甚至不奢望那些孩子有机会来看

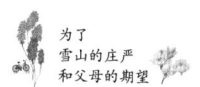

望她，只是希望那些孩子能把自己的结婚照片给她寄来一张，让她孤寂而热爱怀旧和稍微有些虚荣的心，得到浅浅的满足。但是，那些幸福的孩子们，淡忘了这一点。

　　第二天早上，嘉宝奶奶混浊的眼睛里充满自豪，她让我看她藏在汽车库的储备物资。无数的瓶瓶罐罐，装着她自制的番茄酱、草莓酱还有许多叫不出名来的饮料和食品，把车库填塞得像一家蹩脚的杂货店。她说有这么多好吃的东西，就是病倒在家里，就是下大雪，她也不害怕。

　　看着嘉宝奶奶心满意足的脸，我想起了老松鼠。秋风吹起的时候，忙着把松子松果搬进自己的树洞。嘉宝奶奶住在设备完善的老人院里，她有独立的别墅，每月只要付五百美元，就会有专人帮助她打扫房间，收拾花园，代办一些杂事。如果她的身体状况不允许再这样独居，就可以搬到老人院的健康中心去，在那里有专门人员为她服务，当然，相应的费用也就比较高了，每月两千美元。如果她的健康进一步恶化，就会进入病房，有医护人员二十四小时不间断地照料她，费用自然也就更高了。嘉宝奶奶的经济并不困难，所以，从技术层面来讲，她并不存在着在风雪交加的冬季，出现没有吃的被大雪围困的危急情况，她的那些储备，也许派不上多少实际的用处。但我能体会到嘉宝奶奶的心境，一个身边没有任何亲人的老人，她的心灵是不安全不安宁的。她要在自己一息尚存的时候，努力地多储备一些过冬的物品。这些食物最重要的功用，不是填满她那日渐萎缩的胃，而是镇定她老人家紧张不安的心。

　　我还参观过一家老人院的洗澡间。院方很骄傲地告诉我，这个

为了雪山的庄严和父母的期望

给残疾老人洗澡的装置，是他们自行研制成功的，在美国也很少见。我细细地绕着这个被称为"洗澡机"的装置，看了半天。整体看来，它好像一个半人高的塑料桶，其中一部分好似圈椅，人可以舒服地坐在里面，另外一部分是可以自由开合的。老人的轮椅开到洗澡机旁边，通过一定的操作，就能比较方便地从轮椅上转移到洗澡机的座位上。然后关上洗澡机的舱门，按动开关，适宜温度的水就注入洗澡机里面了。再过一会儿，除了头部以外，人就整个地浸泡在洗澡机里了。

可是，谁来按摩老人的身体呢？我问。洗澡机虽然很先进，但洗澡洗澡，最重要的步骤是"洗"，单单是把人装进机器里，泡在水里，就好比是把衣服塞进了滚筒，事情才刚刚开始呢。

院方的工作人员向我指出了一些开关，可以让水流发生螺旋般的流动，还有震颤……我看明白了，利用了洗衣机的原理，将人当作羊毛衫一样的揉搓冲荡，只是省去了甩干这个步骤。看着这个像太空舱的座位一般的洗澡机，我不知说什么好。我觉得洗澡的一个最基本的动作，是手指和手掌对皮肤的触摸——自己抚摸自己。在这个过程中，首先感到爱惜和愉悦，其次才是清洁。如果自己做不到这些了，由他人来帮助自己完成，那就是人和人亲密关系当中最紧密的一种了。因为你看到我的每一寸肌肤，你爱护我，帮助我，你不嫌弃我日渐老迈松弛的皮肤，你和我感受同样的水和温度……这一切，是隐秘亲近并且激动人心的。可是，在洗澡机里，机器代替了一切。一个孤寡残疾的老人，被人推送到这里，然后被关上了洗澡机的门，旋钮启动，就再也没有人看顾他了。水流机械地旋复，冲击着他的胸腹，单调而刻板。我不知道从统计学的角度来说，洗澡

机的洗净度是怎样的,想必应该不错,也许,比人的手洗更洁净也说不定。但洗澡中的诗意和温暖,一定也被同时洗去了,洗澡变成了一道工序。

我问院方的工作人员,为什么不能安排一些人工来给老人洗澡呢?

工作人员说,美国的人工是很贵的,院方支付不起这笔费用,所以设计了洗澡机。

我说,来用它洗澡的老人多吗?

工作人员说,不多,老人们不愿用。

我想,是的,肯定会是这样的。在孤寂的振荡中,独自体验自己的衰老和残疾,是一件残忍的事情。连洗澡这件事都变得如此工业化,老人们会很不习惯的。不到万不得已,没有人肯进这个洗澡机。

在一次家庭宴会上,我看

到一位老人，戴着一条非常美丽别致的项圈，那上面有十一块宝石，颜色形状各不相同，但看得出，每块都很名贵，在灯光下发出彩色的射线。老奶奶身体的每一部分，都向着她的项圈倾斜着，你在看到她的那一刹那，必会注意到她的项圈，因为她的表情、体态和所有的肌肉，都像指针一样指向了她的项圈。如果你注意不到她的项圈，你简直就是一个瞎子。如果你注意到了她的项圈，你不过问这件事，那你简直就是对她的大不敬了。

在这种压力之下，每个人在寒暄之后，都要夸奖她的项圈，她就如愿以偿了，情绪高昂地说着什么。轮到我与她见面，我的谈话也从项圈开始。这是我看到过的最美丽最别致的项圈之一。我说。

这可并不全都是客套，那项圈的确是独一无二的，晶莹璀璨。

谢谢！它的确是独一无二的。我把毕生积攒的名贵宝石都拿了出来，我自己设计了这个样式交给工匠，无论从价值还是款式来说，它都极为名贵。而且，对我来说，它的价值更是无可估量的，因为这个项圈有很大的象征意义。老奶奶说。她说话的时候，脑袋摇个不停，脖子上的项圈就宝石相撞，精光四射，仿佛一串电焊的火花。

话说到这个份儿上，脖子晃成了这个样子，出于礼貌，你就是再没兴趣，也得问老人家这个项圈的象征意义是什么。

老奶奶就像一个好猎人下了套子，看到你的爪子果不其然地被她绊住了，兴奋溢于言表。她说，我这十一块宝石，代表我的十一个孙子和孙女。蓝色和绿色的宝石，代表的是男孩，粉红色和橙黄色的宝石，代表的是女孩。现在，你已知道了这个秘密，你仔细地数一数，我有几个孙女几个孙子？

我很精心地数过了，但老奶奶究竟有几个孙女几个孙子，又忘记

为了雪山的庄严和父母的期望

了，记住的只是她那张充满期待的脸和筋络缠绕的脖子。项圈是美丽的，但如此近距离地观看一张苍老的面庞，在晶莹剔透的项圈的映照下，有一种残酷的枯萎。

也许是太想让老奶奶高兴了，我千不该万不该，问了一句话：您的这十一位孙女孙子常常来看您吧？

老奶奶的脸色黯淡下来，喃喃地说，是啊，他们来过，可是，已经很久不来了……

整个晚上，我都为自己的贸然发问后悔不已。

不，直到今天，我都为自己的贸然发问后悔不已。我为什么要自作聪明地用手指捅这位老人期待和自豪的泡沫？

有时，我看到大街上的女孩戴着灿烂的宝石项圈，会不由自主地想到，天底下，无论是东方还是西方，无论是中国还是美国，有没有这样一个女孩，在盛大的宴会上，骄傲地指着自己项圈上的宝石对来宾说，这块蓝色的宝石，是纪念我的祖父，这块红色的宝石，是纪念我的祖母，他们永远在我心中。

有吗？

有吧。

斯特朗的地毯鞋

这是一家老年人活动站,在新奥尔良。新奥尔良是个美丽的地方,古老的橡树像虬蚺的幽灵。活动站在郊外,周围是贫民区。这是黑人聚居的地方,以前黑人是不能进城的。一栋简陋的楼房,早先是黑人的旅馆,石头砌成的墙,有一种沉稳的结实。进得门来,看到的都是白发苍苍的头颅,不论头发下的面孔是何种颜色,头发都是白而暗的。人的头发真是很奇怪,不管它们年轻的时候是黑的、棕的、黄的……到了尾声,一律都变垩白。我问安妮,白色的头发老了,会是怎样?安妮说,它们依旧是白色,但无光泽。

看来,亮度比颜色,更说明一个生命的状况。

很多老人在这里活动,有的打牌有的下棋,还有三三两两地在谈天健身。一些人聚在一起,听一位年轻的女孩讲解台风的知识。听众多是一些老女人,耳力不佳,年轻的女孩不得不扯着嗓子反复地重复。这么大分贝的音量,要在其他的场合,一定会引起他人的侧目,但在这里,大家见怪不怪。

老女人们对台风的兴趣,让我感动。我不知自己到了这个年纪,还会不会对在远方出没的台风,抱有如此新鲜的兴趣。我原来以为,只有上班和旅游出差的人,才会对天气的变化充满了关切,那背后是

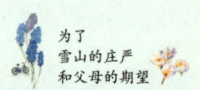

不要迟到、不要受凉、不要忘了带雨伞等的忧虑。

在这些垂垂老矣的妇人面前,我觉察到了自己对天气的功利。她们不会上班,不会出差。说一句不好听的话,其中的绝大部分人,今生今世再也没有力气走出新奥尔良的橡树荫了。可她们依旧睁大混浊的眼睛,努力分辨台风经过的途径,痴心地关注着和自己毫不相干的天气,这也许就是人和自然相濡以沫的渊源。

有一棵树,一棵假树,工艺树,做得很逼真,赭的树干,绿的枝条,大约有一人高,摆在活动站很显眼的地方。树上挂着很多树叶,当然也都是人造的。每张树叶上写着一些字,或者是一幅小画。比如一片蜡烛形的叶子上写着:记住我有一只大鼻子的快乐的镶满皱纹的脸……然后是抖动的签名。

我问活动站的站长古薇尔女士,这是什么?

她说,这是曾经在这里活动,现在已经去世的老人,从天堂写给大家的信。

我的头皮轰的一声,死人是不能写信的,这是常识。古薇尔女士已经七十五周岁了,胸膛饱满得如同揣着两个大菠萝。她步履弹性很好地走来走去,使人无法怀疑她的说法。

新奥尔良一共有二十所这样的老年人活动站,每年需经费五百多万美元。经费的来源主要是四方面,联邦政府、州政府、地方政府一共可拨款四百万美元,还有一百多万美元的"洞",就要靠自筹和社会捐款来解决。今天来活动的老人共有七十多位,但有一千多位老人要求将免费的午餐送到家,所以,活动站的工作量很大。

我一边听着她的介绍,一边锲而不舍地惦念着那棵有着奇异叶子的树。

为了雪山的庄严和父母的期望

古薇尔女士终于讲到了这棵树。噢,是老人们共同栽下了这棵树。每一位老人都知道自己死后,在这棵树上会有一个位置,悬挂自己的树叶。他们会在生前就写下这片叶子,然后保存在自己的亲人那里。如果他们没有亲人了,就保存在活动站里。当他们去世之后,他的家人就会把他的叶子送来,挂在这里,永远的。大家常常来看望这些叶子,念着上面的话,有很温暖的水汽,从这些叶子上蒸发出来,进入人们的眼睛……

古薇尔女士这样说着,我就看到她的眼睛湿润起来。哦,我错了。古薇尔女士久经生死,在说这些话的时候,神采飞扬,很为自己发明了这棵沟通生死的树而骄傲。不是水汽进入了她的眼睛,是水汽进入了我的眼睛。

与楼下的喧闹相比,楼上是静谧和安详的。有几位老人在绣花和织毛线,古老的女红的气息从风烛残年的鼻孔呼出,让人走路和说话都变得叹息般轻。

旁边有一个小小的橱柜,陈列着老人们的工艺品。一套极其美丽的婴儿装,雪白的翻卷的绒毛,精美的图案让人爱不释手。我很想买下,但偷偷觑见标价,要五十美元,囊中羞涩,不敢问津。但我决定斟酌力量,一定买下一件老人们的产品,不单是留作纪念,也为了尽一点绵力,包括让制造者有一种成就感。因为古薇尔女士说,老人们的产品收入绝大部分都捐给活动站,自己只取很少一点。

一双黄色和蓝色毛线织成的地毯鞋,大而柔软,蓬松得如同两只小哈巴狗。虽然我家并没有地毯,我还是把它们买下来,然后我对古薇尔女士说,我能和"鞋匠"照一张相吗?

古薇尔就拉着我向一位老人走去。

她身材瘦小,坐在轮椅上。在身体和轮椅的空隙中,夹着两团大大的毛线球。她的手指干枯如藤,但依然很有力地操纵着两根毛衣针,上下翻动。在她的身边,摆着刚完成的一只地毯鞋,红黄相间,鲜艳如枫。

她叫斯特朗,今年八十六岁了。她患糖尿病很多年了,两只腿都截过了,眼睛已近乎失明……古薇尔介绍说。

我这才注意到斯特朗老奶奶轮椅下的"腿"。白色的套鞋中,是冰冷的金属,风在她的腿间毫无障碍地吹过。

斯特朗老奶奶笑着说，很高兴从中国来的客人喜欢她的地毯鞋。她说，那套美丽的婴儿装也是她织的，只是现今年龄大了，有些力不从心，就专门织地毯鞋了。

我抚摸着一位没有脚的老人织出的精美的地毯鞋，心中充满痛彻的谢意。她把自己对脚的期待，织进鞋里了。

面具后面的脸

参观新墨西哥州乔治·奥尔夫博物馆附设的女子艺术辅导学校。乔治·奥尔夫是美国最杰出的女画家之一,她的那幅"头骨和白玫瑰",表达着经典的凄美和让人战栗的死亡体验。在她去世后,遵照她的遗嘱,开办了女子艺术辅导学校。

指导教师杰茜娅白发黑衣,举止卓尔不群,目光熠熠生辉。一句话,开门见山。她说,我们开设的艺术指导课程,不仅仅是指导艺术,更是指导人的全面发展。比如,根据哈佛大学的研究,经过艺术训练的女生,她们的领导才能就有所加强。

我很感兴趣,问,这是为什么?艺术和领导,通常好像是不搭界的。

杰茜娅说,艺术让人的大脑全面发展,增强人的自信心。特别是女孩子,她们的艺术才能往往是比较突出的。如果受到重视,得到相应的训练,她们就会发现自己是有价值的。如果她的艺术作品出色,就会不断地获奖。这样,她们就有了成功的经验。对一个孩子来说,什么最重要呢?就是有成功的经验,感觉到自己的价值。在正常的学校里,让孩子能有成功经验的机会并不是很多的。学习文法和数理化,是很枯燥的过程,很多孩子不适应,只有少数的孩子

为了雪山的庄严和父母的期望

能在常规的学习中感受到乐趣和成就感,大多数的孩子会觉得自己不够聪明。可以这样说,常规的学习,给予孩子们失败的经验比较多。但是,学习艺术就不是这样了。首先我们相信一个大前提,那就是——每一个孩子,都必定有所长。它们冬眠着、潜伏着,等待人们的挖掘。不存在"有没有"的问题,是"一定有",只是需要发现。再者,艺术是没有统一的标准的,允许广阔的想象,关于成功的概念,也是更为开放和宽松的。而且,孩子和成人,谁离艺术的真谛更近一些呢?是孩子。她们对世界,有直觉的把握,在创作的同时,也更清晰地感觉到了真实的世界。她们在艺术中学习,这种成功的经验,会蔓延开来,延展到她生活的各个领域。

这一番话,颇有醍醐灌顶之感。当我们的某些父母只是把艺术作为一种训练一种特长,甚至当成一块高考就业的敲门砖的时候,杰茜娅她们,已经巧妙地把它变成了赋予孩子最初成功体验的阶梯。

回想我们的一生,之所以会有种种的命运,虽不敢说全部,但其中偌大的一部分,是源自我们童年经验的烙印。精神分析派的师长甚至不无悲观地说,每个人一生将要上演的脚本,都已在我们六岁前的经历中秘密写定。如此说来,谁能改变一个孩子的童年体验,谁就能改变他眼中的世界和他人生的蓝图。

人的记忆是非常奇怪的东西。我们希望它记住的东西,它虚与委蛇,给你一个过眼云烟。我们希望它遗忘的东西,它执拗着,死心塌地地铭记。记忆的钢钉,就这样不由分说地揳入灵魂最软弱偏僻的地方,却从那里发布一道道指令,陪伴你到永远。背负无法选择的记忆,挺进在人生的曲径上。记忆是有魔法的,它轻而易举地决定着我们的好恶,指导着我们的行动,规定着我们的决策,甚至操

纵着我们的生涯……

中国有句俗话,叫作"三岁看老",看来和弗洛伊德老先生的学说,有异曲同工之妙。这话有前瞻之明,但也有掩饰不住的悲观和宿命。三岁之前,孩子在无知无识中酿出了怎样咸苦的卤水,让他的一生在此凝固?或者反过来说,面对着一个孩子,成人世界有什么力量,可以润物细无声地沁入思维的草地,从此染绿他一生的春秋?

杰茜娅女士的话,正是在这个微妙的层面,给我启迪和震撼。如果说教育是一种外在的渗透,那么,让孩子们深入到艺术的创造之中去,就生出了发自内在的事半功倍的奇效。让蛰伏内心的翅膀舒展开来,让成功的霞光照亮漆黑的眸子,让最初的成功烙在心扉的玄关……童年的珍藏,就会在漫长的岁月中发酵,香飘一路。

面对着这样的理论和尝试,

我肃然起敬。

我说,你这里走出多少艺术家?

杰茜娅说,我从来没有统计过。

我说,哦,她们还小,艺术的成功要很多年后才见分晓。我知道现在谈这些,一切都为时过早。

杰茜娅说,不仅因为统计操作上的困难,开办这个学校,并不是为了从小培养出几个艺术的天才,而是为了更多的孩子生活中多一些阳光和快乐,发展健全的人格。我把孩子们的艺术品都保存了起来,其实,对于她们来说,这些并不是艺术,是另外一种心灵的表达。她们并不是为了成为艺术家才进行创造的,她们把艺术当成了心灵的一部分。但是,这不正是艺术最原始最根本的标志吗!

我说,能否让我看看孩子们的艺术创造?

杰茜娅说,好吧,请跟我来,在仓库里。

那一天,是休息日,宽敞的校舍里没有一个人。我走在寂静的走廊,忽然生出心灵探险的感觉。想象不出我将看到的是怎样的作品,但我确知那是一扇扇年轻的珠贝分泌出的珍珠,不论它们圆还是不圆。

杰茜娅捧出一摞石膏面具,我说,这是什么?

杰茜娅说,这是我们做过的一次练习,题目是"面具后面的脸"。

我说,这个题目很有意思啊。

杰茜娅说,是这样的。孩子们渐渐长大的过程,也就是她们对成人世界渐渐认识的过程。她们脱去了最初的纯真,学会戴上了面

为了雪山的庄严和父母的期望

具，没有面具是不可能和不现实的。但是，人不能总在面具后面生活，特别是人对自己的面具要有清醒的认识，要知道哪些是面具，哪些是真实的自我。明白自己的面具是怎么来的，如果有可能，要将面具减少到最少，要使真我和面具尽可能地统一起来。总之，就是对面具有一个明白的认识和把握，不能让面具主宰一切。

很深刻，也很玄妙。我说，能让我看一个具体的孩子的创作吗？

杰茜娅说，好啊。说完，她就从一摞面具中挑选出了一个，递给我。

这是一个美丽的面具。石膏模型的正面，是如花的笑脸，挑起的眉梢，长而上翘的睫毛，桃色的腮和银粉的唇。各种色彩涂得很到位很和谐，甚至可以说是性感的。

我说，很美。

杰茜娅说，是啊。这个女生的名字我不告知你，就叫她安娜吧。安娜在人前就是这个样子，可是，你看看面具的后面。

我把面具翻了过来。在面具的洼陷中，填满了石子和羽毛。石子是尖锐和粗糙的，棱角分明。羽毛肮脏残破，绝非常见的蓬松温暖，片片像劣质的鹅毛笔，横七竖八地乱戳着。特别是在面具背后的眼眶下面，画着一串串黑色的水滴，每一滴都拖着细长的尾巴，仿佛蝌蚪正从一个黑色的湖泊源源不断地游出来……

这个没有一个字一句话的面具，如同医院做冷冻治疗的雾气，把一种彻骨的寒冷传递到我的指掌。

是的。这就是安娜内心，她的另一张面孔，更真实的面孔。她的母亲患癌症去世了，安娜目睹了母亲从患病到死亡的极端痛苦的过程，这使她深受刺激。她的父亲酗酒，夜夜醉得不省人事，她只有寄居在亲戚那里。她每天都在微笑，是一个人见人爱的孩子，她生怕别人不喜欢她。如果没有这种艺术的创造和表达，没有人知道她的痛苦。她被压抑的内心在这种创造中得到了舒缓，也使她认识到自己的分裂和冲突。她开始调整自己，认识到母亲的去世并不是自己的过错，她并不负有让别人都喜欢她的使命。她可以在人前流泪，也可以直率地表达自己，她有这个权利。

听到杰茜娅女士说到这里，我才深深地吁了一口气。是的，你能说这是简单的艺术吗？不能。你能说这不是艺术吗？不能。孩子和艺术就这样天衣无缝地黏合在一起，艺术成了她们生活的一部分，这样的艺术直击心扉。

我说，还有吗？我非常喜欢你和孩子们的创意。

杰茜娅说，这里还有女孩子们画的画，是命题的画，题目就叫"八十岁的奶奶"。乔治·奥尔夫说过：颜色和语言的意义是不一样的，颜色和形状比文字更能下定义。

我说，是请一位老奶奶做模特，让孩子们画她吗？

杰茜娅说，没有老奶奶做模特。或者说，模特就是她们自己。

我说，此话怎讲？

杰茜娅说，我要求每个孩子对着镜子，想象自己

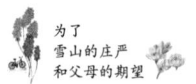

八十岁时候的模样,要画得像,让别人一看就知道那是你。要画出沧桑和年纪的痕迹,还要画出你的职业和家庭对你的影响。因为这些随着年龄的增长,都会在人的相貌上体现出来。当然了,在画画之前,你要为自己写出一个小传。八十岁的人,不是凭空变成的,是经历了很多过程的人。你要心中有数,她到底走过了怎样的人生,你才能画好她。

我说,真是有趣得很,您要达到的目的是什么呢?

杰茜娅说,除了画画的基本技巧以外,我想让女孩子们知道年纪和衰老,是正常的,不是可怕的。只要她们活着,就一定会变老。她们将在自己光滑的额头上,画出密密的皱纹,那是岁月赠送的不可拒绝的礼物。特别是她们将要思考自己的一生将怎样度过,做什么职业,成为什么样的人,包括希望成立怎样的家庭。

我说,我明白了。孩子们是在这幅画里,画出自己的理想和人生。我可以看看她们的画吗?

杰茜娅拿出了厚厚的画稿飞快地翻动。

于是,我看到一位位老妪,额头和嘴角,都有明确到显出夸张的皱纹,头发稀疏皮肤松弛,白发苍苍面带微笑……在这群苍老的女人画像下面,是她们各自的小传,有女滑冰运动员、女服装设计师、女汽车制造商、女医生、女律师……有一幅最有趣,一位老奶奶的膝下,绕着无数的孩子。

我说,这位老奶奶是开幼儿园的吗?

杰茜娅说,不是,这位女生的理想就是要生这么多的孩子。

那一瞬,我好感动。试着想想这些画的创作过程吧,一些嫩绿的叶子,对着镜子,观察着自己的脸庞,然后迅速地画下脸部的轮

为了雪山的庄严和父母的期望

廊，然后就是长久的沉默。她们一笔笔地在这张青春勃发的面庞上，刀刻般地画出嶙峋的皱纹，每一笔，都是挑战和承诺。在生命的这一头，眺望生命的那一头，万千感受，聚集一心，从郁郁葱葱到黄叶遍地。

"我看见被乌云藏起的月亮，我听见在水下游泳的风，我哭泣，因为我是古堡里的蚯蚓……"杰茜娅朗诵了一首女孩子创作的诗。

艺术不仅是技术，更是灵魂的栖息之地。配以一个有力优雅的手势，杰茜娅结束了她的谈话。

会吐火的龙

荷门医生是犹太人。从前头看,像马克思,有一把大胡子。从后头看,可就一点都不像马克思了,他的后脑勺梳着小辫子。尽管我在访问他之前,知道他是新墨西哥州圣文森医院精神科的主任,但还是无法将他的形象和一位严谨的精神科医生联系起来。白大衣如同太小的糖纸,有一些包裹不住的浪漫的气息,从纽扣和线头的缝隙散发出来。

圣文森医院红砖白屋顶,没有想象中的精神病院那种森冷和光滑,反倒有温暖的倦怠感,在秋阳下蒸发着。荷门医生在门口的绿色藤架下迎接我们。

宾主落座,荷门医生劈头就说,我对中国很有感情,我读博士时的导师,写过一本关于《黄帝内经》的书。我原来在中国有一些朋友,后来因为我的关系,他们都到美国来了。他们到了美国之后,就同我不再是朋友了,结果闹得我在中国也没有朋友了。

他说这些话的时候,胡子抖动着,有一点伤感,有一点无奈。我就很有一点羞惭,为我的那些同胞,也生出很多惆怅。

在这种气氛下谈话,颇有些开局不利的味道。我对荷门医生说,我不知道自己能否成为您的朋友,但有一点我可以肯定,就是我不会

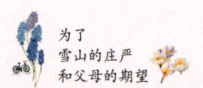

到美国来。中国是我的祖国,我热爱她,我热爱东方的医学。

荷门医生一下子就振作起来,也许我话中的哪一部分打动了他。

荷门医生自称是医疗方面的怀旧者。他说,三十年前,成年病人平均住院十六天以后,才由医生给出正确的诊断和处方,一年以前,这个时间缩短为六天。现在呢,仅仅为三点七天。当然这有医疗检查设备更先进更快捷的因素,但这不是最主要的。最主要的是保险公司说了算,他们要求快,要求缩短病人的住院时间,把大量的病人赶到门诊治疗,这对病人是不负责任的。比如我们这里,以前用于专为青少年服务的病床有十一张,现在只有两张了。原来有专门的儿童精神病科,因为保险公司的反对,就取消了。但青少年中的抑郁症发病率呈不断上升的趋势,百分之七十五的住院病人都为抑郁症。保险公司制定抑郁症的住院时间是六天,这很奇怪,每个病人都是不同的,是医生说了算,还是保险公司说了算?以前是医生说了算,现在不是了。你可以和保险公司争论,但你不会赢。这种医疗保险系统有很大的弊病,医生、医院和病人都不喜欢。不知中国现在是否施行这种保险制度?荷门医生很恳切地问我。

我说,很遗憾,我们的医疗保险制度还很不普及。

荷门医生反倒笑起来,说,那就好。慢有慢的好处,可以把美国的缺点看清楚,在你们进行的过程中弥补,做得更好。

荷门医生的年纪已经不轻了,虽然穿着新潮的T恤,扎着辫子,但我觉得这打扮表示着他的艺术追求,并不体现青春。我向他请教,抑郁症在美国的发病率是多少?

荷门医生环视了一下他的助手们,并不是征询他们的意见,只是为了表明自己以下所发表的看法更具权威性。

他说，抑郁症是一个巨大的文化问题。为什么美国的原住民——印第安人很少有抑郁症发生呢？因为他们的价值观念和现代人是不同的，他们知足常乐。在美国，抑郁症的发病率已达到总人口的百分之二十至百分之三十，女性居多，但是病情严重、自杀去世者是男性居多，州政府已拨出专款进行研究。抑郁症是由于脑内的化学元素不平衡所引发的疾病，由此造成了一系列生理和心理上的紊乱。以前，人们对于抑郁症是比较陌生的，现在通过种种的宣传，有关的知识就普及多了。越来越多的人明白：得了抑郁症，就像得了糖尿病、心脏病一样，这不是耻辱，甚至不是弱点。这并不代表你的无力，它只是一次精神的感冒。任何一个强壮的人，都有可能感冒。

我问，抑郁症住院的标准是什么呢？您刚才说过，这要由医生细致鉴别。

荷门医生说，抑郁症的首要鉴别点是它的危险性——会不会伤害人？这包括伤害他人，也包括伤害自己。

突然一个有趣的问题闯入脑海，但我吃不准荷门医生会不会见怪。试探着说，我有一个小问题，不知会不会冒犯您？

荷门医生一下子来了兴趣，说，请讲。

我说，美国有很多以精神病院为背景的电影，那里面的精神科医生，恕我直言，好像反派人物比较多，这会不会让大众对精神科医生另眼看待？

荷门医生说，这是一个很好的问题。很多人对精神科医生的了解，是从好莱坞电影里来的，觉得精神病院非常恐怖，充满了邪恶。精神科医生都是一些不可理喻的人，有怪癖，是杀人狂等。我觉得，

为了雪山的庄严和父母的期望

从《飞越疯人院》之后，有了一些变化，到了《被打扰的女孩》，就相当不错了。精神病科学是非常艰苦的科学，做一个精神科医生，是非常枯燥的。因为治疗是一个非常缓慢的过程，而且常常出现反复。还有一些疾病是不可能治愈的，你心里会很悲观。

我说，荷门医生，我很理解您的心情。依我看来，您还是很乐观的。

荷门医生说，我乐观吗？我悲观吗？我不知道，也许我经常在这两极之间游走吧。要说悲观，我的妻子才是真正的悲观呢。她也是一位医生，一位专门治疗癌症的医生。在做了十六年卓有成就的临床医生之后，她突然决定改行，再也不要做医生了。

我吃了一惊，对荷门医生的妻子画了个大问号。美国的医生很受人尊重，不但是精神贵族，也是物质贵族。学出来一个医生，要有很高的投入，成为职业医生之后，收入也很可观。做医生这般风光，怎么突然就转行了呢？是什么原因促使她做了这么重大的转变？

荷门医生说，你很惊奇，是吧？所有的人知道了都很惊奇，除了我以外。让我告诉你为什么。我能理解她，深深地。看着一位位的病人，在化学药物的折磨下，吃尽了苦头，却依然走向死亡，作为一个临床医生，她每天都要受到内心的谴责。她是一个很重感情的人，和病人有很深的情谊。这不仅源自她的善良，也为了更好地工作。只有当病人充分地相信医生，和主治医生有一种高度的默契和信任的时候，药物的疗效才可以发挥到极致。我的妻子正是出于关照病人的福利，才和他们建立起了深厚的感情。但是，那些病人，一个个头也不回地都走了，留下她，孤零零的，她怕极了这种离别。如果她是一个冷漠的人，也许会好一些，可惜，她不是。如果她的记忆力不好，事情也许会简单一些。可惜，她也不是。她没有办法，每一个她经手的病人，都长久地活在她的记忆中。她做不下去了，背负不了这份沉重的担子。为了她自己的健康，她只有辞去医生的工作。

荷门医生讲得很有情感，看得出，他非常了解和爱自己的妻子。

我沉默了很长时间，算是对一个恪尽职守的医生的离去表示惋惜。之后我说，您妻子改行之后，做什么工作呢？

荷门医生的面容一下子如旷野的菊花，摇曳多情。说，她画画。她以前从来没有绘画的基础，但是，她一起笔，就画出一些很美的画，极端的安静的花，单纯而美丽。我想，她经历了太多的生死，把太多感触都融到画布上了。我在她的画面前，常常做不得声，只有深深的感动。受她的启发，我也开始学习艺术。

我竭力掩饰自己的惊愕，装出坦然。在冰冷的精神病院岩洞，突然听到艺术的钟乳液坠落的声音，真有些不可思议。从这一刻起，我和荷门医生的谈话，就离开了原定的日程，进入了某种私人的领域。

我说，能把您从事的艺术门类告诉我吗？我也当过多年的医生，我能想象到您和您妻子的心境。

精神科权威的荷门医生，变得像小孩子一样天真，还有一点点羞涩。他看了看周围，他的助手们因为有急诊，刚好离开了办公室。他说，我在烧艺术玻璃，很好玩的。我有一间专门的工作室，不知你愿不愿意去看一看？

我说，太好啦！很希望看到您和您妻子的艺术品。

于是荷门医生给了我他的艺术廊的地址。他不好意思地说，我

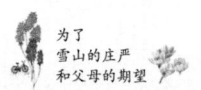

的店在城外，那里租金相对便宜一些，但是地方很不好找，你们会费事的。

我说，抱歉，我的访问计划安排很紧，只有星期天才有一点空闲。不知道那时去您家拜访，会不会打扰您和您的妻子？

荷门医生说，我们等着你们。

在其后的访问中，我焦急地盼望着星期天。计划中，我的陪同安妮星期天是休息日。衷心地感谢安妮，她放弃假日，愿意同我一道走访荷门医生的艺术廊。

秋高气爽的星期天。安妮开着车，我们在高原灼热的阳光下，找到圣塔非郊外一条僻静的街道，走进了一间光彩陆离的画室。

荷门医生的妻子——芭芭拉，是一位温存而寡言的女人。她的面容寂寞而安详，话说得很简短，像几只朴素的鸽子，但眼神柔和，好像是蓝天，于是那些鸽子就有了令人想象的空间。

到处是芭芭拉的画，纯美的静物，毫无声息地瑰丽着辉煌着。还有很多透明的玻璃样的反光，萦绕在那些花朵的周围，让那些花朵有了超凡入圣的光芒，虚幻而超拔。

我觉得这些画很熟悉，好像在哪里看过。当然，我知道自己绝无可能在任何地方看到过这些画。那就只有一个解释了，它们全部是从芭芭拉的梦境流出来的。人类的梦境有一种跨越种族和地域的密码，被芭芭拉轻取手中，并固定在画布上。

一种在我们潜意识里浮动的，对于死亡和生命的感悟。每个人都遗传了它们，它们潜藏在我们大脑黑暗的地下室里，却是距离深邃的地基最贴近的地方。芭芭拉用画笔将它们残酷地挖掘了出来，于是就让每一个看到她画的人，在心底最柔软的地方苏醒和惊悸了起来。在她的画面前,真如荷门医生所说,你无言,不是不想说,也不是没什么可说。你想说,你有很多的话要说,可是你说不出来。那些凄美冷静凝固了的无生命的画面,如同一块沾满香料的毛巾,堵住了你的咽喉,让你有一种窒息般的感动。你怕自己一张口,这种感动就烟消云散了。

我说,芭芭拉的画,买的人多吗?

荷门医生说,不很多。几乎所有看到的人都说好,但是,买的人并不多。除了金钱上的原因,我也不知道还有什么其他的原因。

我很想对荷门医生说,一些有着深刻寓意的画,是只能看不能买的。买下来,挂在自己的房间,我们脆弱的灵魂经不住这种持久而无可逃避的敲打。如同香氛太盛的花木,夜间要移出卧室,它会使人痴迷。为了维系世俗的平衡,人们只好掉头而去。

想了半天,还是没有说这些话。因为我虽然非常喜欢芭芭拉的画,但我也不会买,我无法承受其中单纯而锋利的冷静。

然后去看荷门医生的彩色玻璃。

哈!到处都是玻璃。普通的玻璃聚集在一起,已是明媚灿烂,彩色玻璃聚集在一起,更显出诡谲灵动。若是经过了火的洗礼,发生了神鬼莫测的融会的玻璃集在一起,就有了某种被施了魔法点石成金的意味。色彩缠绕着错落着交织着辉映着……奢华地灿烂着。

我和安妮看得目瞪口呆。荷门医生说,喜欢吗?

我们答道,非常喜欢。

荷门医生说,那我就送给你们一人一块。现在,你们自己挑吧。

喜出望外。我知道荷门医生是个犹太人,我记忆中的犹太人,除了聪明的爱因斯坦和伟大的导师马克思,就是吝啬的夏洛克了。

为了雪山的庄严和父母的期望

荷门医生当然不属于他们之中的任何一类，但这些美丽绝伦的玻璃，是荷门医生的心血所凝，我实在不好意思在这琳琅满目的宝物之中挑选。

荷门医生看出了我的犹豫。他说，这是我的心意啊，也是我对东方和中国的心意啊。

于是我只有收下了。礼貌的推辞和感谢都不再说，我们摩拳擦掌。安妮让我先挑。

在一大堆美丽的东西里面挑选一件东西，是福气也是为难的事情。看看这件好，再看看那件也不错，提醒自己不可显得太贪婪，便把第一眼看中的那块玻璃拿起来，说谢谢您，我就要这块了。

暗茶色的底子，好像远古的琥珀。上面有一只绿色的麒麟，大张着嘴，好像在打哈欠。在它厚厚的嘴唇上方，有两条胡萝卜样的红色索条，仿佛在诱惑它，又在逃避它。最难得的是在麒麟的肚子上，有两个小孔。你既可以将它想象成某种神秘的穴道，也有很高的实用价值。有了这两个恰好开在玻璃重心处的小孔，这块美丽的玻璃就可以悬挂在粉墙上，构成镂空的欣赏。

我说，荷门医生，您是这件艺术品的制造者，您给它起一个名字吧。

荷门医生说，通常这样烧出来的玻璃，你很难说它像什么，是什么。但我看，这块很特别，它像你们东方的一种动物。

我吓了一跳，心想：乖乖，荷门医生真是个中国通啊，他连麒麟都知道。

我说，是东方的什么动物？

荷门医生说，龙。

我大笑，又不想打击他，就说，龙要比这个动物长啊。

荷门医生不服气地说，这是一条小龙，你没看到它还在吃巧克力吗？

荷门医生说着，指了指动物嘴巴上方那两条红色索状物。

我说，龙是不吃巧克力的呀，不管大龙还是小龙。

荷门医生很诚恳地问，那么，龙是吃什么的呢？

这下我真是搬起石头砸了自己的脚，我也不知道龙到底是吃什么的，可能是餐风饮露吧？我正在思忖，可荷门医生是什么人？是响当当的精神科权威啊，我的一颦一笑当然瞒不过他的眼睛，他说，我不管你的那些龙吃什么东西，反正我的这条龙是吃巧克力的。

芭芭拉一直微笑着听我们说话，此时插进话来，说，荷门最喜欢吃巧克力了，所以，他让他喜爱的动物，都吃巧克力。

原来是这样！我深深地为自己刚才的莽撞内疚，赶忙改弦易辙，说，对对，这条龙吃的是巧克力。

我的心思又被荷门医生看穿，怕我难堪，他说，你觉得这不是巧克力，那么，我就把它的名字命名为"会吐火的龙"。这两条红色，就是它吐出的火。它是一条正义的龙，吐出的火，会把一切的邪恶烧毁。

荷门医生说这些话的时候，很有疾恶如仇的风骨。他把《会吐火的龙》郑重地交到了我手上，让我猛地想起了一句古诗：友人赠我金错刀……

芭芭拉又把《会吐火的龙》接过去，用很厚的鱼眼塑料布包好，对我说，你带着它，远涉重洋也不会破碎。

荷门医生从书架上拿出一个细长脖颈的玻璃瓶子对我说，猜猜

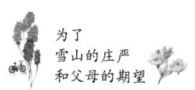

看,这里是什么东西?

安妮惊呼道,这个瓶子的式样好古朴啊。

我对外国的瓶子素无研究,在我眼里,它们都是一模一样的怪气,瓶子里盛着一些茶水色的液体,显得神秘。

酒吗?我没什么把握地说。主要是看荷门医生对此瓶子的珍视程度,我猜它可能是百年老酒。

荷门医生得意地笑起来,说,没有人能猜出它里面装的是什么。不是酒,它比酒要宝贵得多。因为别说是百年老酒,就是更老的酒,我相信这世界上也一定有人保存着。我的这样东西,我相信这世界上再也不会有第二份的。

荷门医生的话,激起了我的好奇心。我说,到底是什么呢?

荷门医生说,我是犹太人。我的父亲是药剂师,我的祖父是药剂师,我的曾祖父也是药剂师。这是一百零六年以前,我的曾祖父亲手配制出的止痛糖浆。那时候,芝加哥瘟疫大流行,曾祖父就配了很多糖浆,分给病人。后来,得病的人越来越多,药品越来越少了,祖父就留下了一瓶,怕自己家里的人病了,找不到药。再后来,瘟疫过去了,这瓶药也就放在那里,一直没有人动过。随着年代的久远,它成了我们家的传家宝,一代一代地传下来。在我祖父的那个年代,只要喝几滴这样的糖浆,人的病就会霍然痊愈,这神奇的药水的名称叫"生命之油"。只有给马治病,才会用到整整一瓶药。现在呢,你跟我来看……

荷门医生一边说着,一边引我走到一个大药柜前。拉开柜门,满满一柜子精装的药品,拥挤不堪。荷门医生说,你看,这些都是各大药厂免费赠送给开业医生的药品。他让我们把这些药品开给病

为了雪山的庄严和父母的期望

人，然后病人就有可能接受这些药品，长期应用它们，这样药厂就有很可观的利润收入了。到处都被商业目的驱使着，我作为一个精神科医生，感到非常悲哀。我深知这些药物的副作用很复杂，有些简直就是毒药。但是病人不懂得那么多，在广告的蛊惑下，他们固执己见地要求吃这些药……我的心情很矛盾。所以，我要到艺术的殿堂里寻找一个精神的栖息地。你想做一个好的精神科医生嘛，那你至少要有一项稳定的热烈而持久的业余爱好，松懈舒缓你紧张到极点的神经，才能保持住体力和精神的不衰竭。

分手的时候，我问荷门医生，你估计，你曾祖父的那瓶药水还有效力吗？

荷门医生说，我不知道它还有没有效力。即使是一种很稳定的药品，这么多年过去了，药效也衰减到几乎没有了，它对我是一种象征。一个医生，要用最少的、最有效的药物，医治你的病人，而不是想着怎样从你的病人的口袋里，拿出更多的钞票。这是我的曾祖父传下来的话。

第三辑

如果脚印有光芒

无数次想过,
回家之后,
再也不出发,
在自家房檐下好好地偷懒,
吃平淡可口的中国家常菜,
过俗常的清静日子,
终又无数次启程,
去探望风雨飘摇的世界。

珊妮兵团

芝加哥一处僻静的街道,除了凛冽寒风的脚步,看不到一个人。找到 1504 号门牌的时候,一股烈风吹过,呛得我差点摔个跟头。今天要拜访的是"珊妮兵团"。

单从字面上,完全想象不出这是一个怎样的机构,加上它的大名——芝加哥宠物治疗中心,残缺的想象力才有了一点方向,然而,显然是更困难了。注意啊,不是治疗宠物,而是宠物治疗。我穿过二十年医生的白大衣,实在难以想象在医生束手无策的地方,那些被人类豢养的动物,能有什么高招。

说实话,我不是一个很喜欢动物的人。不是因为我吝啬自己的感情,正相反,因为害怕感情的流离失所。想想看吧,大概除了乌龟,所有我们日常亲近的动物,比如鸡鸭鹅兔、猫狗驴马……寿数都比人类要短。如果与之建立起了深厚的感情,那它骤然离去的时刻,会遗下怎样的凄楚!罢,罢!索性将感情的半径缩如毛衣针般短小,相应的痛苦也会有限。

1504 号的楼梯窄得如同天梯,侧着身子上到顶层,一扇普通民居的门。我敲门,然后等待。几乎怀疑自己走错了地方的那一刹那,门开了。在我没看到任何一个人的时候,四股旋风,分别为棕色、

灰色、白色、黑色，无声地扑到我身上……吓得我脖根往后一仰，险些晕了过去。

那是四只狗，被四只大小不同的狗活蹦乱跳地围着身体的感觉，极为奇特。它们闭着嘴，用鼻孔热情地喷着气体，眼神温顺而友好。皮毛摩擦着你的肌肤，好像若干件羽绒背心被挑开了尼龙面子，绒毛满天飞舞，轻暖而撩人。不，不仅仅是暖和轻，更重要的是这些绒毛充满了生命力，不停地变换着方向地簌簌流动着，拂过你的全身，仿佛一把奇妙的丝绒刷子，从你的发梢抹到脚踝，直至把你包裹成一根巨大的羽毛……

这是惊恐之中的享受，令人在汗毛竖起的同时想入非非。

当我惊魂稍定，才在众多的狗脸之后，看到了一张和善的人脸——艾米女士，是这家中心的负责人。

艾米把四只狗呼唤到一旁，然后对我说，我们特别设计了这样的欢迎仪式，希望没有吓着你。因为只有它们才是我们这里的主角，它们是只吃饼干不拿薪水的治疗师。

我捋着胸脯说，吓倒是没吓着，只是，它们从不咬人吗？真正的医生都有出意外的时候，这些狗，会不会哪天脾气不好，伤害了病人？谁都有万一，对不对？

艾米女士叹了一口气说，你说得对。在我们人类的社会里，的确是这样的——会有万一。但据我所知，在狗的世界里，发生这种机会的概率，要远远小于人类，我不敢说绝无仅有，但我从来没有见过。狗永远是积极的。你见到人类背叛狗，在某些人那里，还吃狗肉。但是，你见过一条主人的爱犬，背叛过主人吗？你见过在没有食物的时候，狗把主人吃了吗？没有，从来没有过啊。我们这些治疗犬里,从来就没有出现过对病人的伤害,有的,只是人对它们的伤害。

我心中尖锐地疼了一下,我相信艾米女士说的一定是真的,我还需要了解得更详尽一点。

艾米女士说,我们这个中心成立了十一年,我们现在有两百多条治疗犬,也就是说,有两百多位犬医生。我们的治疗犬到监狱里面为犯人治病,结果那些罪犯用烟头烫伤了治疗犬。即使在这种情况下,治疗犬也没有给那些人以任何回击,它们只是伤心地离开了……

我愤愤不平地说,为什么要让治疗犬到监狱里去?

艾米女士说,伤害治疗犬的犯人只是极个别的现象,绝大多数犯人对治疗犬都很友善,效果很好。甚至可以说,在某种程度上,治疗犬起的作用比医生还大。

这我就有些不以为然了。看得出,艾米非常热爱动物,但是也不能把动物的作用夸大到比人更加能干的地步啊。

可能是我的表情出卖了我内心的某些活动,也许是艾米常年同犬打交道,神经和感知也异常灵敏。总之,她以下的话似乎是针对我的念头而来。

犯人犯罪的原因有很多很多,但是其中最根本的原因,是丧失了对人的信任。教育他们今后不犯罪的办法也有很多,但最根本的是要他们恢复对人的信任,让他们内心深处的良知苏醒过来。也许人的语言难以抵达的地方,治疗犬却可以达到。是的,它们不会说话,可是它们有对人的一往情深的信任,它们单纯而友善,执着而可爱。在监狱里的那些人,几乎已经忘记了被另一个个体信任的感觉,但是,在治疗犬这里,他们突然得到了。信任所给予人的动力是非

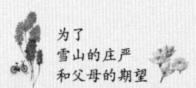

常巨大的，治疗犬让一些作恶多端的人流泪，让他们重新思索自己的人生。

我听得感动，说，训练这样打不还手骂不还口的治疗犬，是不是非常困难？

艾米说，是很困难，只有很少的一些犬具备优良的治疗犬的素质，选择这样的犬，再进行严格的训练，最后参加特别的考试，然后才有进行治疗的资格。

我说，这么难啊？

艾米说，是啊。

我说，都有什么试题啊？你不要怀疑我知道了会泄题，我在万里之外，一定会保密的。

艾米说，比如说，在考试中，有一个题目，要求治疗犬连续地舔人的手掌，达若干的时间，很多的犬就难以通过。有一些犬是可以训练出来的，有一些犬是无法训练出来的。只有那些最友善、最耐心并且喜欢交往的犬，才能过关。

我心里替那些犬大抱屈。当然了，犬是经常舔主人的手掌，但那是它在表达自己的情感。若是要求它对一个不认识的人反复这样动作，就像要求一个小伙子对一个陌生的老大娘不停地说：我爱你爱你爱你……真够受罪的了。

艾米说，你一定想问，为什么要这样呢？

我连连点头。

艾米说，治疗犬对偏瘫后遗症和老年性痴呆的治疗效果很好，其中很重要的一个治疗方案就是治疗犬用舌头抚摸老年人的手指。手指上有很多神经末梢，这种抚摸对人的神经的恢复非常有帮助。若是一个耐性不良的治疗犬，干着干着就烦了，摇摇尾巴自己跑了，那怎么行？治疗常常是很枯燥的，一条好的治疗犬深深地懂得这一点，它们执行治疗任务的时候，非常敬业，极为投入。治疗完成了，犬也累坏了。有时，两个小时的治疗之后，治疗犬要深睡一天。

我说，艾米女士，您本人一定是训练治疗犬的行家了。

艾米女士说，惭愧得很，我训练的一条治疗犬，刚刚在考试中被刷了下来。

我说，为什么呀？

艾米女士说，它的注意力不够集中。有一条是考验治疗犬的耐心，要它们端坐若干的时间。当还有一分钟就要结束考验的时候，考官突然放出一只猫从犬的面前飞跑而过。我的那只考试犬没能经得住考验，它看了猫一眼，浑身就不自在起来，坚持了若干秒，最后还是一跃而起，追那只猫去了，结果前功尽弃。

艾米女士说得很伤心，那情形像极了孩子勤奋苦读之后，却未能金榜题名的失意母亲。

艾米女士说，芝加哥的很多家医院都同她联系，请治疗犬到病房里施治，治疗犬供不应求，计划已经安排到了两个月之后。前些日子，韩国的一家医院也请艾米女士带着治疗犬到他们那里现场操作，美国联合航空公司特地批准了这些治疗犬免费飞越重洋。只有最优秀的犬，才能得到这份殊荣。任务特殊，也有些艰巨。比如有一个科目，是让病人训练犬学会打篮球，治疗犬就要乖乖地跟随着病人的脚步，做这个训练。它们开始的时候，一窍不通，然后在病人的训练中，逐渐进步，最后成功地掌握这个动作。这个训练，会让病人感受到成功，并且不厌其烦，学会交流和合作。

为了雪山的庄严和父母的期望

我说，这很有趣啊。

艾米女士说，若是我告诉你，我们的治疗犬早就掌握了打篮球的动作。但是它们要做出一无所知的样子，然后慢慢地进步，你觉得怎样？

我说，这是人都难以完成的作业。

艾米说，优秀的治疗犬能够成功地做到这一点。它们懂得循序渐进，懂得让训练者有成就感。狗非常忠诚，它是把人当成它的头狗来效忠的。

告别的时候，艾米女士和治疗犬一道欢送我。我一一抱起治疗犬，表达一名人医生对四位犬医生的敬意和谢意。我问艾米女士，哪一位是珊妮呢？

我想那只威武高大的母犬应该是珊妮了，好像含威不露的资深女医生。

没想到艾米说它的名字叫采茜。至于珊妮，是这里最好的治疗犬，所以整个队伍以它的名字命名，叫作——珊妮兵团。不巧的是，珊妮今天出诊去了，到病人家里做治疗，很晚才会回来。

无缘见到这支部队的总司令，甚为遗憾啊。当我沿着陡峭的楼梯走下，故意把脚步放慢，期待着，也许正赶上珊妮出诊归来呢。

谁可以破门而入

圣塔非是一座高原城市,新墨西哥州的首府。在我未到圣塔非之前,每一个听说我要去那里的人都说,唔,好美的地方。有人甚至说,那是美国最美丽的小城。

下了飞机,圣塔非给我的第一印象是大失所望,这就是最美吗?四周都是光秃秃的红褐色山峦,稀疏的植被像卡通人可笑的头发。银亮的日光肆无忌惮地辐射着大地,蛮荒和寂静从干燥的大地反射到空气中,弥漫四野。

安妮说,毕老师,你是不是觉得美极了?

我说,安妮,你去过中国的西部吗?比如陕、甘、宁、青、新?

安妮说,没去过。以后有机会,我一定去。

我说,我明白美国人为什么喜爱到中国的西部游玩,那里像这样的景色随处可见,荒凉空旷原始古朴。

安妮大感兴趣,说,真是这样吗,那太好了。

在圣塔非居住了几天之后,我对安妮说,我要纠正某些说法。中国的确有很多同圣塔非的外部景色相同的地方,但是,一旦走进了圣塔非特有的红土搭建的建筑内部,我就发现了自己的主观武断。

在圣塔非顽强保持着自然景观原始风貌的同时,圣塔非人用现代

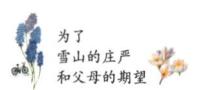

的理念，建设着家园。

我们走访了圣塔非危机应答中心。

一座小小的二层楼。圣塔非的建筑都不高，但这座二层楼还是显得有些局促狭窄。进得门来，几位工作人员用如花的笑脸迎接我们。

我早就发现，从事危机干预的人，一般都面目慈善。不知道当初是因为他们面善，所以被挑选来了做这份工作，还是这份工作做着做着，就把人的脸塑成了这种模样。

我就"危机"的定义请教他们。危机应答嘛，需先把概念搞清楚。

没想到他们全都笑起来，说这个问题没法回答你，不单是不能回答你，我们也不能回答所有问询我们的人。

我大为奇怪，说，若是不弄清什么是"危机"，你们应答的标准是什么？

他们说，我们是特地保留着对"危机"的开放性理解。每个人对危机的感受是不一样的，一个老年人、一个孩童或是一个成年人，还有男性和女性，对危机的判断和承受力都是不同的，没有统一的标准。成年人的失恋、破产可能构成危机，但小孩子被父母训斥几句，一只小猫小狗死了，也会构成危机。我们不希望有人在拨打我们的应答电话的时候，在想：我这个情况是危机吗？我们希望只要你觉得需要帮助，就拨打我们的电话。只要你知道这里有一扇门，你来了，你敲响了门，这就足够了。你可以放开地讲出你人生中的真实，从脚趾到大脑，都可以讲。

真是一个聪明而富有人情味的解释。一个模糊的概念，在它松软庞大的袈裟下,危机中的心灵可以得到舒缓和救援。

他们接着向我介绍工作。

圣塔非危机应答中心,成立于1996年,共有三条热线,有九名常驻的工作人员,都是硕士以上的学历。自成立以来,一共接答了两万多个电话,其辐射的范围主要是圣塔非市和新墨西哥州,也有两百多个电话是来自其他的州。

这里主要是电话值班,每天早上8点至下午5点,是两个人值班。5点之后,到第二天,是一个人值班。危机应答中心的电话号码,每天都刊登在《新墨西哥人》报纸上,很容易找到。平均每周会接听一百二十五个电话。如果值班人员判断来电话者正处于有生命危险的危机当中,会一个人继续接听电话,另外一个人马上出动到家中干预。这样的险情,每周有十至十二次。

我们的外出小组,配备一名警察,一名精神科医生,一名护士,一名社会工作者。我们的车子很好,有必要的设备,比如云梯。当发现来电话者的情况危急时,我们可以不经司法程序就破门而入,因为那时时间就是生命。特别是很多呼救的人正处于酗酒的状态,医生护士的治疗及时让他们镇定下来,是非常重要的事情。

他们的义工都是分文不取的。向社会征集志愿者,年龄跨度从二十岁到七十岁,各个阶段的人都有。特别是要保持总名额百分之三以上的老年义工(要求年龄在六十岁以上),因为老年人发生危机的比例越来越高,他们在电话里听到一个和自己一样苍老的声音,在现场看到一个和自己年龄相仿的人,会比较容易沟通。

当然,性别也是非常重要的。义工中,男女比例各一半。还有族别,新墨西哥州有很多西班牙人的后裔,所以我们的义工当中一定

为了雪山的庄严和父母的期望

要有会讲西班牙语的人。义工工作两三年以后就会轮换,这个工作对人的心力和体力的耗竭都是很大的。

我们的义工是向社会公开招募的,要求很高。义工要经过四十个小时的培训,义工的主要来源是大学社会学科的学生,报名的人很踊跃。爱心当然是最主要的,还有一个重要原因是,有很优厚的学术回报。在我们这里服务,可以得到三十六个学分,相当于将获得社会学和咨询学硕士学位总学分的三分之一,这对学生是很宝贵的。在这里服务获得了良好的评价,对今后的发展是很有帮助的。

电话不可能解决所有的问题,就是到达现场破门而入地抢救,也不可能彻底解决问题。危机是一个连续的过程,我们一旦介入,就不会中途放弃。我们建有档案,会把每个人的情况介绍到社区,以便进一步地追访。我们还有一个强大的资源库,包括精神科、法律、医学、性病方面的专家,甚至还有住房方面的专业人士……

我忍不住问道,别的专家我能理解,可是为什么要有住房方面的专家呢?

工作人员解释说,一般当危机发生的时候,来电话者通常都是锁在自己的房间内。房子的历史和结构是各式各样的,怎样才能在最安全的情况下进入房间,又不会对危机中的人造成伤害,这些当然要请教专家了。

我听得频频点头。最后我说,我看到了你们充满爱心和高度责任感的工作,看到了你们显著的成绩,我还想请教一个问题,你们如何应对沉重的压力?我猜想,你们一定对电话铃声有着特别的敏感,长此以往,会不会造成心理能量的枯竭?

工作人员意味深长地交换着眼神。一位男士说,您说得很对,当然会了。我们的经费来自圣塔非医疗辅助计划拨款,除了义工完全没有收入以外,我们固定工作人员的收入也很低。我如果改行去做别的工作,收入起码会翻上一倍。支撑我做这个工作的动力是——我喜欢在别人最需要帮助的时刻,出现在他的面前。世界上能提供给人这样机会的工作,是很有限的。我感到能为他人服务,是我的快乐。当然,就算是有这样坚定的信念,我也无法完全战胜自己的疲惫。我们工作人员彼此之间有一个约定,也可以说是一个控制系统,我们密切地观察着自己和周围人的反应。我告诉你一个察觉人是否枯竭的小指标,很灵验的。如果一个原本幽默的人,突然不幽默了,你可要高度警惕了。如果你心中一旦出现不愿接听电话的念头,听到电话铃声就烦就害怕,那就应该立刻停止工作,开始休息了。这不单是对危机来电话者的负责,也是对你自己身心的负责。

正说着,久未开口的一位女工作人员拿来了一套精美的照片。

她笑着说,喔,前一段,我就出现了山姆刚才说过的那种情况,我不会笑了,也不会幽默了。他们立即要我休养,我就和母亲一起到非洲去了,那里的旷野和自由自在的野生动物,还有空气和阳光,让我的身心得到了极好的放松。你看,这就是我在南非拍下的照片。

我看到了狮子和长颈鹿,还有羚羊,在一望无际的高原上,在碧蓝如洗的蓝天下,肆无忌惮地晒着太阳。

现在,我又像一颗饱满的种子,每天都蓬蓬勃勃的。我不再害怕听到电话铃声了,我知道那是一个人伸出他求救的手。我会把我的手递过去,无论他在水里还是在火里。她说。

告别的时候,圣塔非危机应答中心送给我一个小玩具,是一只可

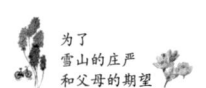

爱的小白熊。在小白熊紫色的背心上,醒目地印着中心的电话号码。

留个纪念吧。再有,希望你能把我们这里的电话——0333,带给更多的人知道和记住。也许有一天,我们会收到来自遥远的中国的电话呢!工作人员送我们到门口,幽默地说。

我们挥手告别。在返回的车上,我突然发现,这只背着电话号码的小白熊的产地是中国。我想,制造这只小白熊并不难,建起我们的危机应答中心,才是艰难的事情。

机场悬红

我和安妮每人得到了一沓厚厚的机票本,好似一本有着细腻文字的质地很好的天书。在一个月内,我们要有数十次的飞行,穿梭美国这块辽阔的大陆。每当我们上天的时候,就要从本上撕下一张来喂给钢鸟,它吃下去才肯驮我们远行。

那一天,要从纽约飞往佛罗里达。头晚看天气预报,电视画面上一个巨大的旋涡,铁环似的掠过美国的南部,心房乱颤起来,怕这股浓烟滚滚的台风,搅乱了我们精确设定的日程,第二天,早早地便起床了。我至今还保持着一个糟糕的习惯——每当要出远门的时候,内心就无端地惴惴不安,好像要有什么祸事即将发生。早先窃以为自己具有神秘的第六感,能预知未来,后来屡屡失算,才晓得不过是杞人忧天,没多少准头。这一次,异国他乡的,但愿我那脆弱的直觉,早就因为水土不服昏睡过去了,此刻只是从未出过远门的乡下农妇式的多疑。在狠狠地自我批判之后,心中方稳定一些。

吃了早餐,在饭店大堂等待出租汽车到来的时候,有一个短暂的空闲。我迟疑地对安妮说,我有一个小小的请求,不知当不当说。安妮非常体贴地说,毕老师,你有什么想法尽管提。如果是合理的,我做得到,我会尽力。如果我做不到,我会坦率地告知你。这就是

为了雪山的庄严和父母的期望

我的工作，你不必客气。

我说，安妮，你说得这样诚恳，那我就直说了。我在纽约待了这许多日子，走访了很多非常重要的机构，受益匪浅。但是，我没有到过任何一家博物馆，甚至，连自由女神也没见上一面。今天就要走了，博物馆自然是来不及了，等以后再有机会到美国来时弥补吧。我不知今天我们到机场的路上，能否看到自由女神？如果不顺路，可否和司机商量，请他绕道，让我一睹自由女神的风采？

安妮思忖片刻道：我很愿意帮助毕老师满足这个心愿，但要看出租汽车司机是否答应。因为机场与女神并不顺路，要特地拐往自由岛，需要足够的时间。再者，因为这是你个人的额外要求，需要你自己支付这一部分的车费。

我说车费我可以出。

剩下的事，就是盼望派来的出租汽车司机是个爱赶早的人，有事好商量的人。在某种程度上，是一个爱赚小钱的人，为了挣我多付出的那一部分车费，愿意额外绕路。

司机来了，一个高大的黑人。纽约的出租汽车司机好像都是黑人，都很高大。安妮说了我们的要求，他点头答应了。于是我成功地看了一眼自由女神，这一眼，价值十二美元。

到了机场，时间已很紧。我们推着行李，好不容易排到柜台跟前，方被告知预订的航班被取消了。

我说，是不是因为台风？

安妮说，不是，是因为罢工。

罢工在我们的字典里，一直是个正面的词汇。比如安源煤矿大罢工，京汉铁路大罢工……都是劳动人民扬眉吐气对付资本家的有效手段。现在可好,我作为普通民众,领略了罢工的厉害。

怎么办呢?安妮说,因为我们的安排十分紧凑,今天必须赶到美国最南端的基纬斯特岛,所以,只有改签其他航空公司的飞机。于是安妮同机场的工作人员交涉。

在中国,机场工作人员基本上都是年轻人,俊男靓女手脚灵便,态度不一定好,但耳聪目明是没问题的。如果他不搭理你,那就是他成心冷落你,并非反应迟钝。但在美国,机场工作人员中,实在是不乏步履蹒跚耳聋眼花的大爷大妈,态度不错,然效率甚慢。安妮交涉了很久,当值的黑人老大爷愁肠百结的样子,不是他不愿帮我们换航班,而是在浩如烟海的航班中,他找不出合适的方案。最后,他把硕大的头颅摇得风摆荷叶,苦笑着起身找来了一位女士,好像是他的上级。

我吁了一口气,希望燃烧起来。这是一位穿着非常得体的黑人女士,我想,一个女人,可以把统一发放的制服,收拾得这般妥帖精当,想必她在处理其他事务的能力上也有过人之处。果然,她飞速地击打着电脑键盘,一会儿工夫就很利索地安排好了我们新的航班。只是,要到另外一个机场去,而且,时间很不宽裕了。

我拎着箱子就想飞跑,不料安妮依然沉着同她交涉,甩我在一旁着急。机场女士认真地听着安妮的陈述,间或有一两句插言,好像在讨论和争辩。最后,看来是和安妮达成了某种协议,大家友好地告别了。

我问安妮,有什么麻烦吗?看你寸土不让的样子。

安妮说,我在索赔呢。

我说,索什么赔?不是已经安排好了新的航班了吗?

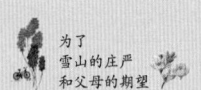

安妮说，我要求了四项赔偿。

我吓了一跳，心想，人家没误了咱今天的航程，感谢都来不及。天灾人祸，有什么办法，还赔偿，且是四项，真有本事。

安妮说，第一项，因为我们马上要赶到另一家机场，需支付咱们的出租汽车费。第二项，现在就要到吃午餐的时间了，按照原来的安排，我们的这顿午餐是在飞机上免费享用的，现在由于你们的失误，让我们不得不自己支付午餐费，所以，要给补偿。第三项，我们的朋友已经在目的地准备接站，现在要打电话通知他们改变时间，这笔电话费，应由你们负责。第四项，这边的行李搬运出机场和到达那边机场后的行李搬入以及小费，都是由于你们的责任造成我方的额外付出，所以，你们也要补偿……

我先是目瞪口呆，然后是心悦诚服，再后是感叹不已。我说，那个美丽的女人把这一笔笔的钱，都给你了吗？

安妮说，OK！只是因为午餐的数量难以衡量，她给了我两张机场餐厅的免费用餐券，再有出租汽车费用也不好确定，她安排机场的车送我们。至于其他的钱，都已打入我的信用卡，等一会儿，由我来支付这些费用就是了。

我颇多感慨。想起在国内多次被延误航班的经历，蜷缩在大厅的地上，好似难民。记忆中最好的一次待遇——无端的八个小时苦等，凭着机票排队。一位面无表情的小姐，在机票上狠狠地打了一个钩之后，我领到了一小瓶矿泉水。又一想，古话说他山之石，可以攻玉。只怕他山之玉再美，但石头顽固，久攻不下。

吃了机场的午餐，坐着机场的车，到了新的机场。在候机的队伍里，突然看到一男子龇着牙向我们友好地笑。我说，安妮，他好像认识我们。安妮说,是啊,刚才他也在那个机场候机,也被改签到这里了。同病相怜,狭路相逢,所以微笑。

我说,你问问他得到了多少赔偿?

安妮问过之后,对我说,他一项赔偿也没有得到,因为他没要求,人家给他签了字,他就扭身走了。

于是,我就坐在机场宽大的皮椅子上呆想。原来,这他山之玉,也并非那么玲珑剔透,也有看人下菜碟一说,遵循的是"告诉了才处理"的原则。如果没有安妮的据理力争,我们也是两手空空。想想,不禁又生疑虑和悲哀。当然我不知道那位未获得丝毫赔偿的先生,是否真的不需要赔偿,单从他悻悻的神情来看,似乎也有不满。消费者的利益,能否从商家那里得到充分的保护,看来和自我的捍卫能力有很大的关联。

下了这一班飞机,换乘的时候,听到机场的播音员用很焦灼的声音,一遍又一遍地播送紧急通知。我问安妮,是不是台风的消息?我们今夜能否安全到达基纬斯特?

安妮笑说,毕老师,咱们要不是今晚必须到达基纬斯特,眼下倒是有一个发一笔小财的机会。

我说,讲来听听。

安妮说,刚才的通知是:此地有两个人急着要到基纬斯特岛去,但今天的小飞机已经满额。那二人悬红说,如果谁愿意把飞机票出让,他们愿意以每席两百五十美元酬谢,并负责出让者今晚明晨在这里的宿费餐费。

一个很有趣也很有用的方法。冥思苦想搜索记忆,在我的经验中,国内的机场,从未有过这样的悬红方式。当我们被告知某班的

为了雪山的庄严和父母的期望

机票售罄，除了自认倒霉就是找领导或是熟人，看有无后门可开。如果没有，就无计可施了。其实乘客的情况千变万化，有的人十万火急，需立即到某地去，有的人却优哉游哉，早一天晚一天无所谓。如果能以时间换金钱，去留两相宜，何乐而不为？只是，我们的机场广播员肯播出这样的启事吗？

播音员念了一遍又一遍……后来，突然就不念了。

待我们坐上飞往基纬斯特的小飞机时，我好奇地张望了一下周围。不知道那两个有急事的人，是否已换到了这架飞机上？他们会是坐在我身旁的这两位喜气洋洋的男子吗？

浮潜
加勒比海

    美国本土的最南端——佛罗里达州的基纬斯特岛,我和翻译安妮在夜半时分到达,乘一辆吉普车似的小飞机降落在机场。机场很小,如同郊外的长途汽车站,甚至没有人查验行李,自己动手从传送带上取下行李,然后一头钻进被腥热的海风泡软的黑暗中。

    安妮说,你等一等,我去取车。

    接待方计划安排得很周到,考虑到小岛上交通不便,特地为我们租了一辆车。安妮从机场问讯处取到了一个密封信封,撕开信封就见到了车钥匙。我们掂着钥匙,拉着行李,到机场前面的停车场,去找我们的车。那种感觉好似要进山打猎,有一杆枪和一条属于我们的狗,正在不远处的山脚下等待着新主人。

    很快找到了我们的车,一辆红色的雪佛兰。进到车里,很洁净。我说,好像是新车。安妮说,这是美国最普通的车,旧了便租不出去。安妮飞快地驾着车,在寂静的、杳无一人的沿岛公路上,雪佛兰如同一颗红色的保龄球,快乐地向前。我们找到下榻的旅馆,一栋美丽的白色建筑。因为抵达得太晚,管理人员已经入睡。录音中留给我们的信息是:××号房间的钥匙,压在门口的脚垫下。祝你

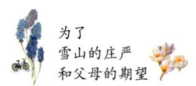

们晚安。

在脚垫下摸到了钥匙,走进门,如同刚孵出的小鸡样的嫩黄色扑面而来。屋顶是黄色的,墙壁是黄色的,连同卫生间所有的瓷砖和洗手盆,都是杏黄色的。这种黄色让人先是不惯后是惊喜,对于中国人来说,明亮的黄色有一种潜在的禁忌,在漫长的时代仅属于皇室,凡人一眼见到,有一种消受不起的惊慌。

然而,还是从心底喜欢,葵花般的兴奋。

由于太晚,料定没有晚饭可吃。刚才在路边的小店,买了一种鱼肉做成的沙拉。我和安妮各自住下,我开始吃沙拉,有海水的味道,细腻软滑,浇了一些莫名其妙的汁液,酸而辛辣。

和安妮进了一家小店,店里是五颜六色的 T 恤。

我们还没来得及浏览,店主就迎过来说,你们是日本人吗?

我们说,不是。

他又说,你们是韩国人吗?

我说,不是。

他突然就很高兴地说,那你们一定是中国人了。

我说,是啊。

他说,我也是中国人啊。

轮到我惊骇莫名,无论从哪个角度来说,他的模样都和中国人相差太远。我说,真的吗?

他说,当然是真的了。我的祖父是中国人,我的祖母是巴西人。我出生在巴西,后来来到了美国。我的叔叔和表哥表姐,都长得很像中国人的,只有我,一点都不像。我很苦恼,可是也没有办法。

为了雪山的庄严和父母的期望

我总是对别人说,我是中国人,可是大家都不相信。看来,你们也是这样,我很伤心啊,我要证明给你们看。

说着,他掏出了一份证件,说,你们看了这个,就会认为我是中国人了。

我拿着他的证件颠来倒去地看了半天,还是不知道从哪里看得出他有中国人的血统。

他说,你看,我的姓里有"VHANH"的拼法,我的祖父姓张。他说过,无论你们最后成了哪国人,都要有这个"张"字。

那一瞬,我很感动。我说,老乡,那么,我们来照一张相吧。

他说,那太好了。这里是旅游胜地,是富人们来的地方,可是我从未在这里见到中国人。今天看到了你,看来今后我会在这里遇到更多的中国人了。

于是我们合影,合影之后,友好地分手。然后,我慢慢地走,很久默默无言,连买T恤的兴趣也烟消云散了。我对安妮说,这条街上,有各种专卖店。以后,中国人来了,可以在这里开一个从未有过的专卖店,生意一定会非常红火。

安妮说,卖什么呢?

我说,卖熊猫啊。这条街上,有卖马的,卖猴子的,卖山羊的,甚至卖蝎虎子(壁虎)的"专卖店",怎么就没有一家卖熊猫的专卖店呢?要知道,美国人是很喜欢熊猫的啊。从中国进货,各种熊猫,塑料的、铁的、不锈钢的、瓷的、棉的、绣花的、毛绒的、竹编的、泥雕的……应有尽有、琳琅满目、品种繁多,绝不输于这街上任何一家其他物品的专卖店啊。

安妮也兴奋起来,说,那是一定的。

岛上有一种小火车，样式很像早年的蒸汽火车，其实是电动的，在岛上蜈蚣一样慢慢爬行。火车司机兼任解说员，随着车轮的进程，向游客们介绍岛上的风土人情。路过一座木结构的白色小屋，他就介绍说，这里是"奥杜邦纪念馆"。奥杜邦是有名的大学者，尤其在鸟类的研究方面很有建树，据说在馆内陈列着奥杜邦亲笔所画的鸟类的素描。又路过了一座"灯塔博物馆"，它本身就曾是一座灯塔，建于1894年，据说里面陈设着航海图和早年间灯塔的实用物品。在马洛里街区附近，可以看到名为"小白宫"的建筑——一座精美的白楼。在1946~1952年，由于美国第三十三任总统杜鲁门时常带着家人和随从到这里来居住，因此而得名。

导游看来是很尽职的，说话也有特点。不过，这位司机兼导游给我的印象不大好。因为我不通英语，每逢他说完一段介绍的话，我就要请安妮帮我翻译。我们交谈的声音很小，但导游还是认为影响了他的工作，对安妮说，要她停止为我翻译。安妮很不高兴，说你们既然不能提供各种语言的翻译，就不应该阻止游客自我服务。导游很会发动群众，面对着小火车上的乘客说，他这样做是为了更好地为大家服务。我赶快劝安妮，说不要为我坏了大家的兴致，毕竟面对着如此美丽的风景，以心态的平稳为第一重要。

于是，没有了翻译，在以后的长约一个小时的旅行中，我如同失聪的人，只凭自己的一双眼睛，欣赏周围的风光。最让人心旷神怡的是，岛上的建筑都是白色，雪白如贝壳，蓝天之下，耀人眼目到昏眩。

下了小火车，我把憋在心里许久的问题倒出来，为什么所有的建筑都是白色的？是否这里有统一的规定？

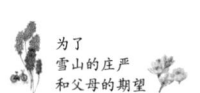

安妮说，没有。因为从美学的角度出发，这座岛屿上的建筑以白色最为艳丽。为了维持岛上的景观，所有的人都默默地遵守着这条不成文的规定，没有人违反。

这一点让我在意外之余很是感动。美国是一个非常讲求个性化的国家，在其他的小镇，你可以看到，几乎没有一座建筑是雷同的，千奇百怪，每个人都在极力张扬自己的个性。但是在这里，不管是自发还是统一规定，反正所有的人都严格地执行着"白色主义"，在成千上万的建筑中，我没有看到任何一座不是白色的外墙。也许屋里依然色彩纷呈，但是，房屋的外观一律是像鲨鱼牙齿一般的莹白。

我们在街上的海报中，看到了"加勒比海潜水"的项目。身穿潜水服的蛙人吐着大如牛眼的泡泡，身边萦绕着礼花般灿烂的热带鱼，引人遐想无限。我和安妮几乎是异口同声地说，走，咱们潜水去!

潜水教练室在一个曲曲弯弯的小巷里。不知为什么，我和安妮往里走的时候，不安的感觉云雾般袭来。当我把这种想法说给安妮的时候，安妮说，毕老师，我也正想告诉你，我也有一种不祥的预感。

我们面面相觑，但是，我们都不是轻易服输的女人，马上就要到潜水教练的办公地了，哪能打退堂鼓?

潜水教练是一个长着大胡子的高大男人，他嚼着口香糖，漫不经心的样子。他先告知我们，潜水训练需要六个小时，要缴纳一百一十美金。我们点头应允，他的热情才高涨起来。我估计他原本以为我们只是一时兴起，随便来打探一番，没想到两个看起来散淡的东方女人真要潜入海底，并非只是说着玩的。

为了雪山的庄严和父母的期望

他拿出一沓厚厚的表格,要我们一一填写。那项目真是详细,从你幼时得过何种疾病,到祖上的健康状况,都一一涉猎。有无心血管疾病?有无脑血管疾病?有无糖尿病?有无癫痫?有无心肌病?有无关节病……密密麻麻的病名,直看得我这个医生出身的人都惊出了一身薄汗。安妮来得爽快,在所有的病名后面,画一个大大的括号,然后写一个大大的"NO"字做结。我却没有这番利落,因为表中有几条询问,让我觉得需郑重对待。

其一是:你是否有过在高速下降的电梯中耳鸣的经历?

其二是:你是否有过在飞驰的地铁中耳鸣的经历?

其三是:你是否有过在密闭的车厢内耳鸣的经历?

我对安妮说,不幸,我都有过。请你帮我询问一下,这对于潜水是否有影响?

安妮询问。潜水教练回答说,这说明你的中耳和内耳的机能不良,这对于下潜是有很大的影响的。教练说完这些话后,又拿出一张表格让我们填写。安妮看完之后,很是生气。

我说,这上面写着什么?

安妮说,这是一份具有法律效能的文件。如果我们签了字,就证明我们对于潜水中所发生的一切问题,都后果自负,和他们没有任何关系。

我说,那么,他们负有何种责任呢?

安妮说,他们不负有任何责任。

安妮和潜水教练理论,教练海盗般的微笑着,一言不发,脸上所有的笑容都写着一句话:这里我说了算!

安妮慢慢地抓起那几张我们填写过的纸,认真地把它们揉成一团，丢在了地上。

如果我们死在潜水的过程中，他们是不负任何责任的。我是你的陪同，要对你的安全负责，单是这一条，我们就不能在他的文书上签字。安妮对我说。

我说，安妮，你做得很对。我们都有直觉，还是相信我们的直觉吧。离开这里，到安全的地方去。

我们重又走在洒满热带阳光的大路上，欢快如初。我们后来找到了乘坐游艇出海的项目，这次不是深潜，是浮潜。也就是说，游艇将游客运送到加勒比海湾内的某处珊瑚礁，让游客们佩戴好蛙鞋和潜水呼吸管，戴好目镜，然后从游艇的中央楼梯下潜，在海中停留约半小时后，再返回游艇，返回海岸。

我买了一件游泳衣，是棕色格子带裙边的，穿上很有趣，有一点像冬天的风衣，很御寒的样子。安妮的泳衣十分漂亮，我们两个在游艇上，一言不发地看着周围的人。他们多是来自美国各地和欧洲的游人，成双成对者居多，看来是夫妻到这里来度假的。白种人的皮肤按说是很怕晒的，可安妮说，在美国，如果谁能在周一上班的时候，携带着这种被热带阳光晒得红艳艳的皮肤出现在大家面前，那么大家都知道，他飞到佛罗里达度假了，这是很有面子的事。所以，几乎所有的美国人都趴在甲板上像晾鱼干一样翻晒着自己，唯有我和安妮躲在阴凉里，喝着加冰的可乐。

终于到了蔚蓝海水中的珊瑚礁，我迫不及待地潜下水。哈！真美丽啊！无数的热带鱼从身边掠过，它们经过我的皮肤的时候，好像羽毛刺透丝绸，一种爽滑，一种让人心痒的酥麻。我翻动着自己因

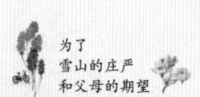

为穿了蛙鞋而变得长大丰硕的脚掌,觉得自己像个水怪。倒是热带鱼们见怪不怪,悠然自得地嬉戏着。

那一天返航的时候,我和安妮看着天边的云霞说,我们终于潜到了加勒比海的水中,我们还活着,这就很好。

莎草纸

到埃及旅行的时候,我带了一个电话号码——3488676,别人以为是一个好友或是某个机构的联系电话,其实它是一个出卖莎草纸的商店。到了开罗之后,我对导游说,我要找到这个商店,据说它是在一条船上,叫作莱凯布博士莎草纸研究所,位于吉萨谢拉顿饭店南面。

导游是一位永远戴着头巾的阿拉伯女性,由于热带阳光的直射,皮肤黝黑,看不出年龄,名叫丽达。丽达的墨绿色头巾包得很严实,用一种带着彩色珠子的大头针把头巾的边边角角都别在鬓间,锱铢必较地把每一根头发都深藏起来。没有一丝头发泄漏的女性让人感觉到寒冷和严厉。我总怕那些大头针会伤了她的脸,但她自己毫无畏惧的样子。丽达毕业于埃及大学中文专业,没到过中国,中文说得不大好,但我们略为思索一下,听懂是没有问题的。比如她介绍神庙壁画上一位女神用"胸前的奶粉"喂养另外的神,我们就愣了,不知"胸前的奶粉"是个什么东西?再瞅瞅壁画,原来女神是用乳房哺育小猫头鹰,恍然大悟。她说,莎草纸啊,哪里都有,我会带你们去买的。

可能是因为常常写字的缘故,我对纸有一份特别的尊敬,约略相

当于老农喜欢好骡子好马好镰刀。

莎草纸在英语中写作Papyrus，它是希腊语（papuros）的拉丁文转写，也是英文中"纸（Paper）"一词的词源。出发之前，看了很多有关莎草纸的资料，但还是没法想象莎草纸的模样。也许是对蔡伦造的纸印象太深，无论怎样琢磨，纸依然只能是我们平常所见的A4纸的架势，至多把它想成早年间用的草纸模样，也许因为都属"草"系，私下里又觉不敬。在古埃及，莎草纸是很神圣的，将莎草纸尊称为pa-per-aa，意思是"法老的财产"，表示只有万能的法老，才拥有对莎草纸的专有生产权。带有皇室胎记的纸张，应该骨骼清奇、法相庄严才对。

在丽达的带领下，我们走进一个院子。水塘里生长着一些碧绿的草梗，初看起来有些像芦苇，但是比芦苇要粗壮和挺直。丽达说，这就是纸莎草，阿拉伯音译为"伯尔地"。听说在尼罗河谷野生的纸莎草，茎秆可高达三米，长得比甘蔗还要粗，简直像丛林。我们看到的家养纸莎草远不及那么彪悍，高约一米，直径和大手指相仿。无论粗细，纸莎草的茎秆都是三角形的，属多年生绿色长秆草本植物，切茎繁殖。茎中心有白色疏松的髓，茎端有细长的针叶，如披头散发的小号松树。

第一眼看到成品莎草纸的时候，些许失望，没有想象中的珠光宝气，不像完整的纸，像一种编织物，平凡而黯淡。

要具体形容它的长相，容我把话荡开一点。丽达曾经说过，埃及到处都是卖莎草纸的，不要随便买，不然你们要上当。

我们就好奇，说一张白纸，还有什么猫腻呢？

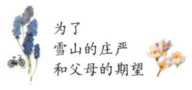

为了
雪山的庄严
和父母的期望

丽达听不懂猫腻是什么,就说,这和猫没有关系,和香蕉有关系。

我们就更不明白了,说纸和香蕉有什么关系?

丽达说,也不是和香蕉有关系,是和香蕉皮有关系。假冒的莎草纸,是用香蕉皮的内层做成的。

在丽达的解释下,我们终于明白了。香蕉皮被剥下来之后,内皮有一种丝缕样的网状结构,好像一些年代久远的旧白绸糊在香蕉外皮之内。把这些香蕉的内皮叠加在一起晾干,就大致完成了假冒莎草纸的造型,真的莎草纸在外形上和香蕉皮莎草纸非常近似。

现在,你能否想象出莎草纸的样子呢?

在这家店铺中,除了种植有纸莎草的样本外,还展示莎草纸的制造过程。先将纸莎草茎的硬质绿色外皮削去,把浅色的内茎切成四十厘米左右的长段,再把里面的芯剖为竖条,然后一片片切成薄片。切下的薄片要在水中浸泡至少六天，以除去所含的糖分和胶质。之后将这些竖条并排摆成一层，然后在上面覆盖上另一层。记住啊，两层薄片要互相垂直，类似经纬相交的编织工艺。再然后，将这些薄片平摊在两层亚麻布中间趁湿用木槌捶打，直到将两层薄片压成一片，并挤去一切能够挤去的水分。现在，纸莎草的膜片已经相当干燥了，但是还远远不够，要用石头等重物压（以前是手工，如今多半改为机器压制）。压后再晾干，等到彻底干燥后，用浮石磨光，此时就得到莎草纸的成品。为了使墨水不至于洇开，还要在书写的那一面施胶，让莎草纸更臻完美。

莎草纸是单纯和唯一的，它只用一种原料，也不搅拌和发酵，只是把水分沥干，利用植物纤维进行编织，没有制作纸浆的步骤，因此不是造纸。从这个意义上讲，莎草纸更天然和纯粹，虽然不很洁白，但泛着柔和的象牙黄色光泽，有着永不重复的纵横交错的纹路，柔韧而抗压。纸莎草在古埃及是象征永恒的神草，用来造纸已经有了五千多年的历史。它不怕折卷，不怕水浸，如同一种不死的精灵，在几千年后，色彩依然鲜艳如初。

古埃及人对纸莎草十分崇拜，把它当作王国的标志。在壁画中，你常常会看到国王手持纸莎草茎状的权力杖。莎草纸后来成为地中海地区一种通用的书写材料，希腊人、罗马人以及阿拉伯人都曾经用它不倦地书写过。和子孙昌盛的蔡伦纸相比，莎草纸命运多舛，它被使用到8世纪左右，就渐渐消亡了，从阿拉伯传入的廉价纸张代替了烦琐的莎草纸。在此之前，羊皮纸和牛皮纸已经在很多领域取代了莎草纸。它们来源广泛，在潮湿的环境下更耐用。

在欧洲，幸好教会对莎草纸独有青睐，直到11世纪左右依然在

为了雪山的庄严和父母的期望

正式文件中使用莎草纸，现在留存下来具有确切年代的莎草纸实物文件是一份1057年的教皇敕令和一卷书写于1087年的阿拉伯文献。

莎草纸消亡以后，制作莎草纸的技术也因缺乏记载而失传。后来，跟随拿破仑远征埃及的法国学者虽然收集到古埃及莎草纸的实物，也没能复原其制造方法。直到1962年，埃及工程师哈桑·拉贾（Hassan Ragab）利用1872年从法国引种回埃及的纸莎草，重新发明了制作莎草纸的技术。

我们看到的就是这种死而复生的莎草纸制作方法。除了制造工艺之外，这家店铺的墙上、玻璃框内陈列着各色各样的纸莎草纸画，尺幅从一本书大小到一丈见方应有尽有。题材大多取自流传几千年的神庙壁画，也有埃及的风土人情和阿拉伯文字，所绘人物有一种特殊的生动。如果脸面是侧的，身体就是正向的。或者相反，脸面是正向的，身体却是侧向的。不知为什么，古埃及人的身体和头颅好像总是不屑完全统一。画以线描为主，勾画准确，线条中间填满了饱胀的颜色，多以金、蓝、红为主，颜料是由动植物和矿物为原料特制而成，色彩夸张而浓烈。可惜我们对古埃及的历史不很了解，搞不清画中人物的起承转合，只有目瞪口呆的份儿。在二楼售货处，摆着用纸莎草编织的篮、罐、鞋、帽、绳等各种工艺品，售货员们穿着传统的阿拉伯袍子，和满墙满地的画张交映在一起，更让人眼花缭乱。看看标价，很不便宜，就和丽达讨主意。丽达说，买这里的。别地方常常是假的，没办法识别。你们要选好的，这里的最好。

但我们还是不愿轻易掏钱包，看起来工艺并不是特别复杂，一张画就要几百块钱，是不是太贵了呢？丽达说，你看墙上。

我们就看墙上。丽达说，墙上有你们领导人的照片。我们果然看到了出访埃及的领导人在这里参观时的微笑照片，于是便放下心来。

买了几张画之后，我看到一张绚烂的莎草纸，四周的图案是雄赳赳气昂昂的太阳鸟，中心写满了字。我问丽达，这是什么东西？

丽达永远是言简意赅的，说："文书。"

我说："什么文书呢？"

丽达说："契约。"

这基本上和没回答差不多。我也能看出它好像是一份证书，但证明的是什么呢？是尼罗河上的某一块土地的归属，还是金字塔下某一群骆驼的主人？

我穷追不舍地问，丽达终于说："结婚证。"

我说："谁的结婚证呢？"

丽达："谁的结婚证都可以的。"

看来，丽达是没有法子说得更清楚了，我站在地当央，独自猜想这张纸到底是怎么回事。售卖此物的盛装小姐看我迷惘的样子，拿出一支蘸满了金粉的笔比画着。这可不是一支普通的笔，是纸莎草茎削成的三角形短棒，笔端蘸着金粉熠熠闪光，好像一支魔棍。小姐手舞足蹈，不停地用魔棒在契约上笔走龙蛇。我问丽达："她要干什么？"

丽达说："她在问你的名字。"

我奇怪，说："我的名字和她有何相干？"

丽达说："你和谁结婚了，她就用古埃及文字把你们的名字写上去，万古长青。"

原来是这样。我想告诉丽达，这里用白头偕老可能比万古长青

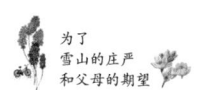

更相宜，想了想，没说。这是一种用法老的文字复制的结婚证书，款式完全是复古的，和从木乃伊身边挖出来的结婚证书一模一样。只要告诉这位小姐你需要填写的名字，现场办公，她很快就可以把夫妻的名字写好，交到你手中。

当然，收费也不菲。

在埃及漫步，你总是会在不期然当中，遭遇这些古老而神秘的符号。它们镌刻在石碑上，描画在神像旁，在金字塔，在法老墓，到处都有它们魔幻般的身影。它们不像是字，像是一些绘画和咒语，讲述着绚烂而复杂的历史。

一位朋友可以用法文和售纸小姐交流。我说，古埃及文字，能书写咱中国人的名字吗？

朋友说，这还不简单嘛，你的名字是由哪些字母组成的，她在表上一对照，依样画葫芦地把象形文字填到莎草纸上，不就大功告成了？

我有心想买，说，你帮我问问，价钱可有商量？

朋友如实翻译过去，售纸小姐很优雅地摇着头，不停地说着什么。不用朋友翻译，我也知道没戏。果然，朋友说，小姐告知我们说莎草纸本身的价钱虽然并不是很贵，但所用的颜料都是矿物质提炼的，很珍稀。特别是书写名字的金粉，用的是真金，可以保证永不变色。人们当然希望自己的结婚证书能够长久保存，以象征爱情的永不褪色吧？所以，不能便宜。

得，缄口吧。在这样的攻势之下，你甚至觉得如果继续讨价还价，就是对姻缘的大不敬了。

为了雪山的庄严和父母的期望

我在国内的一对朋友正准备结婚，我决定为他们置办一张法老的证书，当作独特的贺礼，婚礼时拿出来也许会震惊四座。我正在一笔一画地书写他们的名字时，站在一旁的朋友悄声对我说，建议你还是不要这种古怪的结婚证。

我一惊，停了笔，说，怎么啦？

朋友说，一个已经覆灭了的王朝，一种已经消失了的文化，一份已经无人能识别的文字，这吉利吗？

哦哦，我还真没从这个角度想过问题。我说，你的意思是……

朋友说，反正要是我结婚，就不喜欢这种东西。

我看着这位朋友年轻的脸，心想也许她说的有道理。我已经上了年纪饱经风霜，对兆头之类的东西就趋向麻木淡然。但年轻人也许比老年人更迷信呢，还是尊重他们的意愿吧。

我就放下书写名字的笔，对售纸小姐说，对不起，我不要法老的证书了。小姐惊异地扬了扬眉毛，眉毛很细很弯，轻轻抖动。

我对朋友说，可是我还是非常想要莎草纸。

朋友说，你的意思是要一卷空白的纸吗？

我说，是的，我喜欢这种以几千年前的古老工艺制出来的纸，喜欢它能够经历几千年的风霜依然洁白柔软。

朋友说，这很简单，我来跟她说，就买几张空白的莎草纸吧。

我也以为这是很简单的事，不想朋友却和售纸小姐好一番交涉，小姐还请示了一个长胡子的中年男子，可能是他们的领导吧。最后好不容易才成交，价钱是彩色画张的百分之八十。我说，什么都不用画了写了，为什么打折并不多？

朋友说，我也是这样和他们论及的啊。我说，不是说颜料很贵吗，不是说金粉很贵吗，现在我们不要这些东西了，为什么价格并不便宜？他们说，从来没有人单独买过空白的莎草纸，这等于是让他们售卖原料。他们如果很便宜地把莎草纸卖掉了，就没法经营了。本来他们只同意打九折，现在还是优惠了呢。

我说，谢谢你了，就这样吧。

待我付完钱之后，兴冲冲展看着空白的莎草纸往外走时，小姐还和朋友喋喋不休地说着什么。朋友只是微笑也不答话，和我一道挽臂走出。

我随口问道，她和你说什么呢？

朋友俏皮一笑，说，我不告诉你。

我好奇起来，说，售纸小姐虽然长得俏丽，可你也是个漂亮的中国MM，也没法向你施展美人计。到底是什么意思呢，还不可告人吗？

朋友说，她说你没有购买法老的结婚证书，都是因为我向你说了什么。她希望我以后再来的时候，不要败坏了他们的买卖。

我说，小姐的眼睛够毒的。

朋友说，她还看出你非常喜欢空白的莎草纸，说哪怕是九折，相信你最终也会购买。她对我说，为什么要这样拼命地为了别人讨价还价呢？如果最终以九折成交，他们会只收八点五折扣的钱，把那零点五的折扣让给我。这样他们能多赚一些，我也可以有点小收入。她还说，如果我不习惯从他们那里拿回扣，也可以在我购买他们货物的时候，把这点钱折算进去……

为之绝倒。阿拉伯人会做生意，由此让我深深佩服。

还是对法老文耿耿于怀，觉得一定要带走一件铭刻着古埃及象形

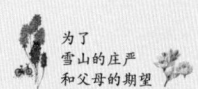

文字的纪念品,才算来过埃及。

我对丽达说,哪里还有法老文的东西?除了莎草纸画以外。

丽达说,我会告诉你的。

我就死心塌地地等着,这一天终于等到了。一只小帆船带我们到尼罗河上冲浪,护送我们的水手,是两个当地的土著黑人。他们几乎不说话,只是露出雪白的牙齿微笑。帆船到达尼罗河上游的河口,丽达指着远处一座红色小楼对我们说,这就是英国惊险小说女王阿加莎克里斯蒂住过的地方。我们说,就是那个写作《尼罗河上的惨案》的阿加莎吗?丽达说,就是她。我们说《尼罗河上的惨案》是在这里写的吗?丽达很实在地回答,这我就不知道了。但是,她住过这里,尼罗河的风光一定给了她灵感。

这话肯定对。

写到这里,让我介绍一下尼罗河。在埃及走动,你就是围着尼罗河转,甚至在飞机还没有降落的时候,你就在空中看到它庞大的水系。这是一条如此浩渺博大的河流,让你不由得敬畏和爱戴。

通常我们面对地图是"上北下南",但面对尼罗河方位的时候,称呼就恰好颠倒了过来。尼罗河是从南方流向北方,所以当人们说到上尼罗河的时候,指的是南方。说到下尼罗河的时候,指的是北方。

我们的小帆船停在了尼罗河的中心,这里水天一色,让你生出航海的感觉。两个黑人突然拿出很多木雕和石头的项链耳坠等,向我们兜售。丽达说,他们很辛苦,工资也很低,如果买一些他们的货物，就是帮助了他们。我买下了一串木制的项链，是由十几只角马木雕组成的，算不上精致，但自有一种野性的韵味让你感动。每只角马都是寥寥几刀，就雕出了奔跑的英姿。你不得不承认，这些无名的工匠并不是有多么出众的手艺，只是他们的眼睛无数次地遭遇过角马的奔驰，所以哪怕是最蹩脚的手艺人，也沾染了角马魂灵的神韵。

买完黑人的物件之后，丽达很严肃地对大家说，在埃及，导游向客人私下兜售旅游纪念品，是犯法的。如果被举报，就会面临很严重的处罚。但是，我不忍心看你们买到伪劣的产品，埃及人向游客售卖不良的物品，是很有本事的。

我们就笑起来，这些天的经历，证明丽达所言不虚。但是，丽达说这些，是什么意思呢？有点自曝家丑的意思，让我们无法贸然回应。丽达说，有人希望得到一些有法老文的纪念品，我认识开罗一家很好的银饰店。他们可以为客人定制手链，用皮和银来制作。在银饰上，可以用法老文把你的名字刻在上面，还有一些美妙的吉祥的图案可以选择，比如猫头鹰、太阳鸟、生命的钥匙等。

风帆落下来了，小船在尼罗河的中心好似一片树叶，随着尼罗河的水波微微荡漾起伏，让人有一种微醺的昏然。

我问丽达，什么叫生命的钥匙？

丽达说，在古老的埃及传说中，每一个生命降生之后，并不是马上就打开的，需要生命的钥匙。只有用生命的钥匙打开了的生命，才会更有意义和幸福。

哦哦，古埃及人可真是聪明啊，他们把生命分成了两种，被钥匙打开的和没有打开的，想来这两种生命的质量和结局也应是不完全相

为了雪山的庄严和父母的期望

同的。本想和丽达问个清楚，无奈当时丽达忙着收钱，不忍心坏了她的买卖，心想以后再问吧。

我对丽达说，那我就要一个手镯吧，用法老文写上我的名字，再要一把生命的钥匙。

丽达很仔细地记下了大家的不同要求，有的人要太阳鸟，也有要猫头鹰和鳄鱼的，反正在古埃及的神话中，世上万物皆有灵性，都有丰富的寓意和祝福。她又拿出一只小尺，说手腕的粗细是不同的，特别是皮革制品，要稍微宽松一点。我就让她量了手腕，并特别把尺码放大了一些，以防老年越发富态的时候，套不进这生命的钥匙了。

离开埃及的时候，包囊里多了一卷无字的莎草纸，一串非洲木雕角马的小项链，一个用法老文雕刻着我的名字的手镯，银饰中央是一柄生命的钥匙。

第四辑

天堂不是
目 的 地

在空中看大地，
心中会涌起略带疼惜的温情，
所有的细节都看不到了，
看到的只是莽莽苍苍的雪原。
这是我们赖以生存的土地，
眷恋的故乡，
并最终掩埋骨殖的地方。

加德满都：直面生死

中国有句俗话——远亲不如近邻。在我们祖国，有一些和我们非常亲密的邻国，比如尼泊尔。这个世界上每个国家都有自己的国旗，但是尼泊尔的国旗和任何一个国家都不一样，尼泊尔的国旗由两面三角形组成的，国旗的旗面是红色的，代表他们烂漫的国花杜鹃；国旗的边缘是蓝色，代表天空与和平，在它的上面还有一句古老的梵语，翻译过来就是——母亲和祖国重于上天。

我们从成都出发，坐上飞机前往尼泊尔的首都加德满都的时候，就开始了一次壮丽的旅行，这条航线是整个世界上唯一一条飞越珠穆朗玛峰的航线。亲爱的朋友们，如果有一天你去尼泊尔，记得一定要选择飞机右侧的座位。因为只有在那个座位上才会看到苍茫的青藏高原，才会从我们这个星球上的最高峰珠穆朗玛峰一侧飞过，在整个青藏高原的飞行大概需要半个多小时，可以尽情地欣赏皑皑的冰川、高耸的雪峰。

当飞越了珠穆朗玛峰以后，飞机开始急剧下降，这时空中小姐告诉我们，马上将降落在尼泊尔的首都加德满都。加德满都位于谷地，别看这块谷地的面积不大，却集中了七处世界级的文化遗产。加德满都的朋友对我们说："在我们加德满都，神仙比人还要多，庙

为了雪山的庄严和父母的期望

宇比住宅还要多。"当然这话或许有一点夸张，但是我们也可以从中得到一些讯息：在加德满都将会看到各式各样的"神仙"，看到他们的庙宇。朋友们对我们说，加德满都一共有三个杜巴广场，到加德满都来一定要去看杜巴广场。我问杜巴是什么意思呢？他说杜巴的意思就是皇宫。

既然有三个杜巴广场，顾名思义，加德满都也就是有三个皇宫了。可在我的印象中应该是一个王国，对应一个国王、一个皇宫才对，皇宫的广场也应该只有一个吧？要解开这个疑惑，得从加德满都那长长的历史说起，加德满都在几百年前曾分裂为三个不同的王国，当时的老国王分别给三个儿子都分封了面积稍小的王国，所以到今天加德满都设有三个杜巴广场，最大的那个广场叫作老皇宫广场。

当我来到这个老皇宫广场，导游给我们下达的指示特别有意思，他说："这里的神太多了，介绍不完；庙太多了，也没办法领旅行团挨个儿参观，不如就地解散，你们自己去看各式各样的庙宇，但是记得到下午四点整，一定要集合，我们将去看一位活着的女神。"

我们纷纷猜测活女神难道真的是一个人吗？尼泊尔的友人说，对啊，是一个人，而且是一个女孩。我们又追问，她真的有神力吗？他说，对啊，对我们尼泊尔人来说她就是至高无上的神。我们接着问，那这个神是怎样来的呢？他说，等你们看完了活女神之后，再来慢慢地和你们讲。就这样四点钟的时候，我们集合前往活女神庙。

这个活女神庙外表看起来并没有特别之处，它的大门很小，还有两个狮雕在门的旁边守卫着。尼泊尔的狮雕并不是那种看起来非常冷峻、威风凛凛的狮王形象,而是模样温顺、全身涂满色彩的狮子。由于年代的久远,狮子身上的原本斑斓的色彩已经褪色不少,更显出一种沧桑与温和感来。这是一座完全由木头雕刻的神庙,进去以后会让人觉得眼花缭乱,充满真心的敬佩。只有在尼泊尔,在加德满都,在那已经逝去的几百年前的岁月,才能造就这样的神奇。神庙里的一切都在向人们展现着这里曾经无比富足,这里的人民曾经生活祥和,这里的工匠心灵手巧,他们用足够的耐心把一块普通的木头雕刻得精美无比。

等啊,等啊,四点钟终于来到。有人告诉我们,那位活着的女神,一会儿就会出现在第二个窗口,或者第三个窗口。但她只停留一分钟,如果不仔细地看,女神就惊鸿一闪,再也看不到了。于是我瞪大了眼睛,一直专心地盯着那个窗口。四点钟的时间很快过去,我不解地问那位友人:"女神为什么还不出来?"尼泊尔的朋友说:"因为她是神,可以不遵守世间的时间。"于是我们只好又耐下心来,目不转睛盯着那个窗口。

突然,期待中的女神出现了在窗前。我们进庙宇的时候,被告知当地的有非常严格的规定:任何人不准对准女神拍照,所以我们没法拍下当时的情形。不过在加德满都的一家店里面,看到有出售活女神的图片,我就买了一张,所以大家现在可以看到这位美丽的女神。我想看到活女神的朋友们一定会惊讶:这位活女神不就是一个小女孩吗?对,这位女神是一个四五岁的小女孩,在 2008 年从民间选出来的,到现在已经继位了四年多的时间。尼泊尔的这种选活女神的制度,对于我们来说真是陌生又好奇。

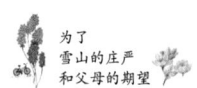

尼泊尔的活女神是怎么选出来的呢？一共有三十二条标准，挑选制度非常严格：牙齿不能有一颗脱落；眼睛要像牛的眼睛一样，非常清澈和明亮；头发要非常漆黑，眉毛也要非常整齐；手指指甲都要像贝壳一样晶莹，总而言之，必须是外貌毫无瑕疵的女孩，才能够进入最后的遴选过程。活女神的生辰八字、星座也一定要和尼泊尔国王的星座相吻合。除了这些以外，这些四五岁大小的小女孩，还要经历一个非常严酷的考验：那就是必须不怕黑暗，不怕各种牛鬼蛇神，不怕巨大的声响。

怎么样考验这些女孩呢？在深夜的时候，让这些小女孩待在一个完全没有灯光的大殿之中，她们的周围摆满各种血淋淋的祭品的头颅。之后还有一些人戴上恐怖的面具，发出吓人的叫声在她周围出没。如果一个四五岁的小女孩，面对这样的挑战时，她还能保持镇定，不哭闹也不叫喊，而且非常安静地待到天亮，这样的人才能被确认为女神。

活女神一旦选入宫内，她的任期是有时间界限的，就是如果这个女神得了病，或者是由于慢慢长大，到了女孩子的生理期，身上开始流血，那么她的女神生涯就结束了，必须退位，皇室的有关人员就要继续从民间去遴选新的女神。由于现在女孩子青春期的发育比原来要早，早期的活女神从入选时的四五岁算起，大约可以在位七八年，甚至更久的时间，但现在，也许十二岁的时候就要退休了。

活女神是要退位的，那退下来之后的生活该怎么办？在尼泊尔两百多年活女神的历史上，那些退位的女神，其实多半境遇悲惨。第一，她们居住在女神庙里的时候，常年见不到亲人，因为她们已

为了雪山的庄严和父母的期望

经是神，不能接触尘世的凡人，即使亲人也不例外。

直到近年才开始获得特别的恩准，活女神的妈妈可以每一个星期或两个星期，去看望一次自己的女儿，但也不能表现得非常亲热，因为她见到女神的时候，不能以女神妈妈的身份，而是以一个去叩拜的俗众的身份。

活女神从来没有玩伴，每天早上起来，第一件事情就是化妆，然后穿上厚重的女神服，等待着去给她的民众们赐福。活女神平常不能走出这个阴暗的女神庙，因此当她退位的时候，没有掌握任何生活的技能。此时的活女神也不会和别人打交道，因为原来她一直都是高高在上，匍匐在脚下的所有人都是卑微的仆人，对她一呼百应，如同真的拥有神力一般。

当退位的活女神重新回归普通社会的时候，常常遭遇到非常大的困难。去上学只能从最低的一年级开始，因为她没有任何的知识基础。据说后来，有一位活女神的爸爸不断地给尼泊尔的皇室递信件申述，说无论如何让我的孩子在做活女神的时候，学到一点知识。于是从2000年开始，尼泊尔才决定活女神可以接受教育。退位的活女神悲惨的还不止这些，在尼泊尔的民间还有一种传说，说谁娶了退位下来的活女神，谁就将遭遇不幸，他会在六个月之内口吐鲜血而死。早期退位的女神，没有人敢做她的丈夫，然后这位女神只能终老闺阁。

对尼泊尔现行的这样一个活女神的制度，其实有很多人，特别是西方的女权主义者提出了很大的抗议，说这样对儿童的利益有所侵害，而且对女性的利益也有所侵害。鉴于此，尼泊尔已经做了很大的改进,现在活女神可以一边做着女神,一边还有老师教授各方面的知识。过去退位以后,活女神只能得到一身当女神时候的穿着的衣服和一块金币。大家不难想象,一个没知识没生活能力的女孩,又没有人敢娶她,一生真的很悲惨。

但是新政实行以后,活女神退位回归到普通人的社会就会顺畅很多,她们可以去上学读书,其中有一位女神甚至读到大学毕业,还拿到了一个学士的学位,这在尼泊尔是大家都非常高兴的事情。

有记者曾采访这位退位的女神:从人人敬仰的女神回归普通人,到现在的大学生,还出了一本书,你怎么看这个制度?这位活女神说:我一辈子过了别人两辈子的生活。我曾经是神,可以去俯瞰众生。现在又做回一个普通人,生命因此变得很丰富。

大家又问她,当你十二岁退位时,才从一年级上起,会不会觉得很吃力?她说真的很吃力。她说,从前我一说话一呼百应,现在却变成了一个十二岁才读一年级的普通学生,心里也觉得很不是滋味,可是我父母领我去看了之前退位的一个活女神。那个女孩现在每天什么事情都不做,就是对着镜子化妆,然后回想自己当年高高在上的岁月。她说,这个真实的案例给我的感觉就是,我不能这样活,我一定要努力学习,走出属于自己的人生。

下面我想说的是在心中留下深深震撼的一件事情。那一天,暮色苍茫,我们整个旅行团一共有十几个人。导游说,今天傍晚,我们将到加德满都的圣河,去看尼泊尔最大的火葬场,你们将看到整个焚烧尸体的过程。听到这句话,当时我们这个团里就像炸开了锅一样。有人说,尸体的气味会不会很难闻?有人说,焚烧的场面肯

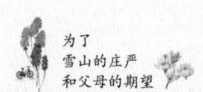
为了
雪山的庄严
和父母的期望

定非常可怕，还有的人直接说：我不想去，坐在车上不下去，行不行？经过重重争议，最终，旅行车还是带着我们一行人向巴格马蒂河开去。

巴格马蒂河是尼泊尔的圣河，在它的河畔是加德满都最大的印度教的火葬场。它成为一个火葬场已经有一千多年的历史，一千多年以来，信印度教的教徒，当他们的亲人逝去后，最迟两天之内，就要来到这个火葬场，亲手火葬他们的亲人。这样的场景对未曾经历过的我们来讲，的确是个大的挑战，尤其是我们到达火葬场的时候，已经临近黄昏时分，气氛更显阴霾。当导游说到了，大家请下车吧，有一半的人见此情景抗议说不去。

我们剩下一半的人，就下车向巴格马蒂河河畔的火葬场走去。空气中弥漫着一种令人窒息的味道，当我们就要走到河边的时候，我回头一看，已经有几个人开始恶心呕吐，摆手说真的不能去了。最后

导游说,还有谁愿意跟我走?我和其他两三个人,跟着他继续走了过去。

我曾经看过巴格马蒂河火葬场的一些图片,因为拍摄于明亮的阳光之中,感觉和野外烧起的火焰没有太大的区别。可这一次我亲临现场,在沉沉的暮色之中,看到那河边一堆一堆的火焰,心里真的受到很大的震撼。在国内,当有人死亡的时候,我们眼前常常出现的色彩多数都是黑色或者白色,一种很强烈的、肃穆的对比,但在加德满都,印度教教徒的死亡仪式里面,摆满了各种各样的鲜花,有很多亮眼的金色、红色花瓣,所以看起来,并不是令人悲凄和恐惧的。我们在河边待了很久的时间,对火葬的全过程基本上有所了解。

整个焚烧的过程,首先由亲人们把逝去的人用担架抬到河边,把人(尸体)放在倾斜伸到河里面的那种有点像大搓板一样的平台上,用河水洗他的双脚,洗去人世间的尘土,然后再用河水清洗他的脸,把圣水滴到他的嘴巴和鼻子里面去,代表着洗去人间所有的烦恼。当这个步骤完成之后,就要把人(尸体)放到烧尸的台子上面,最后由家里人举行简单的仪式,然后点燃火焰。

整个过程有点像一具尸体睡在木头的床上,身边对着大块的柴草,睡在木头之上,他的身上又覆盖了很多的木头,最上面覆盖了一层茅草。这个茅草在巴格马蒂河里面沾满了水,是湿的茅草。我觉得很奇怪,我们通常用干柴烈火来形容燃烧,但为什么要把湿的草铺在最上面呢?

尼泊尔的友人对我解释说,如果没有这层湿的草像被子一样盖在上面,火焰会非常猛烈,看起来火焰凌厉冲天,其实温度并不高,

为了雪山的庄严和父母的期望

但有了这层湿的草盖在上面，只有中间的部分燃烧，这样就能保持足够的温度，保证尸体充分燃烧。

这时，我想起了一点就问随同前来的导游（可能因为我当过医生，问题问得比较直接），我说：一具尸体在这样大的火焰里燃烧的过程中，他的手应该会动。导游有点惊讶地看着我："你看过这个过程吗？"我说："没有，我是从医学的知识来推断。"他说："是的，手会动。"我又说："那么我觉得尸体的脚有时候可能也会动。"他说："是的，脚也会动。"我又问："你看到过更大的动作吗？"他说："有的时候，尸体甚至会从火焰里坐起来。"我说然后呢？他说："然后他的手就不再动了，脚也不再动了，尸体坐起来之后，又继续躺下，躺回火焰之中。大概焚烧一个半小时之后，就看不到人体的形状了，再过几个小时之后，人体就全部化为尸骨。"

尽管当过二十年的医生，尽管研究过很多关于死亡哲学的思考，看过很多相关的书，我觉得在自己内心当中，对这样的场景早已有充分的心理准备，但是亲临现场的时候，仍然感受到极大的震撼。因为在那个过程中，人们可以看到在火光冲天的烈焰中一具尸体的肉身是怎样慢慢地在火焰中融化。焚烧一具尸体，大概要四到五个小时，这段时间他的亲人都一直守候在身边。四到五个小时以后，等火光渐渐熄灭了，会有人把那些尸骨拣出来，放在一个袋子里放入巴格马蒂河。古老的巴格马蒂河就载着逝者的骨灰，流向恒河，去完成一次生命的轮回。

在尼泊尔的文化里，在印度教教徒的教义中，认为人的生和死只是一种不同的生命形式。人死之后把肉身烧为灰，把骨灰直接投入到巴格马蒂河里面，让河水载着骨灰向下游流去，很快汇入恒河，这就是一种善终，是灵魂得以轮回的一种最好的方式。所以面对死亡，尼泊尔人并没有过多的悲伤，不过不难看出，面容还是有些悲凄。同行的尼泊尔友人对我们说，难过并不是因为死亡，我们可以接受死亡，难过的只是再也看不到自己的亲人了。因为分离而难过，并不是把死亡看得多么恐怖。

  我目睹这个过程，觉得既有令人非常震惊的一方面，也有引发

我们深思的一方面。我认识一位教授,他从理论上完全接纳这件事情,说很想目睹整个过程,但是真当走向巴格马蒂河边的时候,他走到一旁呕吐不止,我们特别能理解他,说,你要是特别不舒服,就不要去了,还是回到车上去休息吧。

我想我们这个民族谈论生更多,往往忌讳死亡,在人们心中觉得死亡是一件黑暗、恐惧,甚至是肮脏的事情,还有的人会觉得那是一个丑恶的事情。但是直面死亡，我想是每一个现代人必须面临的问题，对于每一个新生命，我们是如此欢欣鼓舞地欢庆他来到这个世间，可是每一个人必须也要面对生命终结的过程。如果把它妖魔化，看得过于凄惨，迫不得已，痛不欲生，实际上就是对生命过程的厚此薄彼。因为有生就会有死，我们每一个人都会有这样终结的过程。

当我们到尼泊尔，到加德满都，到巴格马蒂河河边，去目睹一次生命消失的过程。尽管可能会感觉到某种不舒服，甚至强烈地不适应，但是这对我们来讲也是一种不同文化的洗礼。我们会看到这个世界上，原来有一些人，有一些民族，有一些人民，他们可以如此安然地接受生命的终结。

我后来问带我们去的导游："你第一次到巴格马蒂河旁边，目睹死亡，是几岁的时候？"他说："我五岁时。"我说："你害怕吗？"他说："我不害怕，在我们的文化里，从不畏惧死亡，这一次终结代表下一次新的开始。"当然，他们也是有宗教信仰的，可能和我们纯粹的唯物主义者有所不同，但是我想这个世界上，有各种各样的文化，对待生死，也有各种不同的阐释，比如在我们的文化里，孔子说："未知生，焉知死。"意思就是说如果我们连生都还没有想清楚，又怎么知道死亡是怎么回事呢？孔子说的有他的道理，但是我想，我们可以把生和死放在一起来思考。

在我们生命的远方，矗立着一个不可逾越的死亡，生命都是有长度的，我们每一个人最终都会走到那一扇门前。这个道理就好像读书，从一年级读起，你知道总会有毕业的那一天。所以要思考好过程，把握当下的生命，让自己的每一分钟都变得快乐、有趣、有

为了雪山的庄严和父母的期望

意义，我想这是我们非常重要的功课，也是今世为人的责任。

当我来到加德满都广场上时，做的最重要的一件事情是什么？我想大家一定想不到——就是坐在那里，晒着暖洋洋的、亚热带的阳光发呆。为什么会发呆呢？因为我们现代人的生活节奏真的是太快了，但到了尼泊尔，好像到了另外一个世界，所有的人都步履缓慢，他们那种微笑显得非常单纯而友善。我找了一个地方坐下来，在我的身边都是尼泊尔晒太阳的人，我闭上眼睛，就看见眼前一片红颜色，我想这个红色，其实是血液流过了我的眼帘。我们已经很长时间没有在阳光下，静静地享受阳光，享受和暖的风，享受这种缓慢的节奏。

那样不知道过了多少时间，一位尼泊尔友人走了过来，因为他会说中文，他就跟我说，很多的中国朋友第一次降落在加德满都的时候都会说，太不习惯了，你们这里太缓慢了，好像回到了几百年以前。你看人们走路的步伐，你看当地工作人员办事的效率。他说很多中国朋友初到加德满都的时候，头一两天都是怨言不断，但是慢慢住下来，经过一段时间的沉淀之后，就会发现慢有慢的好处。只有慢下来，我们才可以倾听到内心的声音，感受到大自然的美好，回溯灿烂光辉的历史，如果我们只是一味地匆匆向前，往往就容易忽略了很多美好的风光。

我在加德满都的老杜巴广场上坐着，还有另一个感受印象深刻，那就是周围实在太不洁净了。为什么这么说呢？大家可以想象各种的气味一下子全都蜂拥到鼻子里的感受。我晒了一会儿太阳，睁开眼睛一瞧，发现在我身边十平方米的范围之内，至少看到了五种动物的粪便。里面有鸽子粪，这是毫无疑问，广场上到处都飞翔着鸽子。还有一粒一粒的，是羊粪，为什么会有羊粪呢？

这里要先讲我后来不再逐个参观庙宇的原因，因为我看到一只非常美丽的小羊，它那些黑色的皮毛就像打了摩丝一样，又黑又亮，它的眼睛里那种单纯和虔诚让人动容。我问友人，这只小羊是要做什么的？他回答说这是给神的祭祀用的，马上要让这只羊成为一种牺牲品。当时我心里面就咯噔一下，然后就决定不再去看其他的庙宇了。

还有牛粪，尼泊尔的国兽就是黄牛，牛在当地非常受尊重，它们可以堂而皇之地在街上走动，所以街上随处可见牛粪。此外还有狗粪，尼泊尔有很多的狗，到处都能看到狗，本地人对狗都非常友善，所以那些狗也见了人绝不会落荒而走，而是大摇大摆地慢慢走，地上有狗粪就不足为奇了。最后，还散落着很多的猫粪便。

一辈子都没有想象到这样的场景会发生在我身上，自己可以和这五种粪便，如此安之若素地和平共处。其实在那一瞬间我也在询问内心，我们是否应该标榜洁净，我们是否应该觉得这些东西都是肮脏的？大自然是一个和谐的整体，把所有的地方都弄得纤尘不染，要耗费大量的水资源，还会造成很多其他形式的浪费，而人们却把这个定位为一种更高层次的生活。但是在我看来，在这样一种氛围内，加德满都的人民和这些鸽子、狗、牛、羊、猫等小动物，和平共处在一起的生活，也有一种独特的韵味。我希望人们能去看看各种不同的生活方式，并且尊重这种不同。

当我们看中国地图的时候，会看到在我们国家的东南方、西南

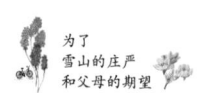

方，有很多这样的小国，而去看世界其他一些大国的地图，寻找他们周围的亲密邻邦时，会发现他们是没有这样的小国邻居的。中国人民爱好和平，友好睦邻，尼泊尔就是我们亲密的邻邦。无论从美丽的山川风光，从尼泊尔另外一侧，来看壮美的喜马拉雅山，来看珠穆朗玛峰，都如同眼睛的盛宴，会让人觉得这个旅行充满了惊奇和快乐。

送你一颗光芒海

到伊朗旅行,还没出发,同行女友就说咱们一定要挑个好日子。我纳闷,说你是要避开什么特定的时辰吗?朋友说,伊朗有个珍宝博物馆,是一定要看的。它每星期只开放两天,每次只有很短的几个小时。如果我们碰到它闭馆,就太遗憾了。

于是我们的出发和返程,都是按照伊朗珠宝博物馆的时间而设定,这样哪怕是出了意外情况,也有双保险。女人都喜爱珠宝,纵是无法拥有,看一看也是好的呀!

博物馆在德黑兰市的菲尔杜西街,因为在闹市区了,门口不可以停车,我们从很远的地方下了车,步行过去。翻译是位资深的伊朗学者,对波斯历史颇有研究。他开玩笑地说,一会儿各位出来的时候,眼睛也许会闪耀黄金和钻石的光芒。

珍宝馆在伊朗中央银行地下室,或者更确切地说它就是金库,里面储藏着波斯帝国历代的王座、王冠、宝剑、珠宝、首饰等宫廷用品。翻译说,这些价值连城的宝贝,本来是属于国王他们家的,1938年,当时在位的礼萨·汗国王,把王室的藏品交给了伊朗国家银行,作为发行纸币的担保。1960年底,这个馆开始对公众开放。

珍宝馆先声夺人,不同凡响。我说的不是它的藏品,这时候我

为了雪山的庄严和父母的期望

们还没来得及进馆呢,我说的是它的森严。在通往珍宝馆的路上,我们连续接受了三道安检,且不说书包、照相机等不能带进去,就连手机也要掏出来交付安全人员托管,真正做到身无长物,裸着进馆了。

悠长的台阶,走得人心惊肉跳。一步步走向地心,灯光幽暗,有一种洞穴探宝的感觉。珍宝馆内昏晦如夜,刚进去一时间你判断不出它的面积,好像无边广阔,也好像只有几间屋子大小。在黯淡的底色当中,一处处闪亮的岛屿,就是防弹玻璃构成的陈列柜,就是那些惊世骇俗的珠宝栖息之地。首先映入眼帘的是巴列维国王的王冠,翻译告诉我们其上镶有三千三百八十颗钻石,共重两千余克拉。

翻译悄声向我们普及钻石的知识。由于钻石的珍贵和细小,重量就不能大刀阔斧地计量,改用了谨小慎微的"克拉"。这个标准是古希腊人最先制定的,他们所用的砝码,是生长在爱琴海岸边的角豆树种子。这种种子很小很轻,每颗的重量都基本相同。一克拉是两百毫克,也就是零点二克,五克拉相当于一克。

我在以色列耶路撒冷城见过这种植物,类乎皂角树,它的种子被称为克拉豆,比绿豆稍大一点点,但没有绿豆那样丰满,呈扁平的椭圆形,浅淡的咖啡色,摸起来有轻的油腻润滑感,摆在手心上几颗细细比较,果然难兄难弟的,万分相似。世界上已经发现的最大钻石,名叫"库利南",重达三千一百零六克拉,有莽汉的拳头那么大。我国的"常林钻石",重一百五十八克拉,似青皮小桃那么大。

重量在一克拉以下的钻石,只能用更微小的计量单位,叫作"分"。一克拉等于一百分,也就是两毫克。常见某个女子被富豪家迎娶,大秀特秀她的钻戒,重量是几克拉,引得人们尖叫。

伊朗国王王冠上两千多克拉钻石，共计四百多克，快合咱们的一市斤了。国王头戴这么重的王冠，是不是容易得颈椎病呢？我们在这厢刚被钻石闪得目光迷离，转过身去再被巨大的刻花金板晃得头晕眼花。金板足足有二十公斤重，其上还嵌有用钻石镶嵌的文字，说这是犹太教民在礼萨·汗国王加冕时的进献。旋即被惊得浑身抖擞，一个三十七公斤重的纯金地球仪，劈面而来。这个黄金球上覆盖着密密麻麻的宝石，有五万多颗，总重量高达一点八二万克拉。它是先用纯金铸了个模拟地球的大球，再用宝石显示地球上的海洋和各国的具体位置。海洋用的是绿色宝石，估计是祖母绿。我私下里觉得海洋区域应该用蓝宝石，工匠之所以不这样安排的原因，我绝不敢推论是因为蓝宝石数量不够多，而用绿宝石替代。最大的可能是祖母绿比蓝宝石更为豪华奢靡，或者是因为从波斯湾看到的海水多呈绿色，故如此设计。

这架地球仪，起因是1848年纳赛尔·丁国王继位后，觉得王室无数零散宝石不便于保存，遂生出一个主意，让工匠们制造珠宝地球仪。这一工程费时多年，至1869年完工。世界各国的位置，用红宝石表示，伊朗、法国、英国和东南亚用钻石来表示。我仔细看了看中国的位置，似乎是以碎钻标出来的（隔着防弹玻璃，不知道判断准否？说错了，请恕。我不是珠宝专家）。不知道这种区别，是表示和这些国家比较亲善，还是率性为之。苛刻要求，该地球仪中国大陆的海岸线标得不够细致，略显陡直。

另外一个吸引眼球的珠宝，是象征着伊朗王权、镶满珠宝的"孔雀宝座"。它是一把孔雀开屏形状的金交椅，和咱们的皇帝宝座——比如康熙御制五屏式黄地填漆云龙纹宝座，有的一拼。孔雀宝座上，

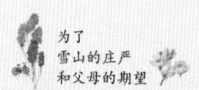

也是镶满了钻石，据说有两万多颗。

目瞪口呆之时，翻译说，所有熠熠生辉的宝贝，在镇馆之宝"光芒之海"面前，还是相形见绌了。来，请跟我走。

"光芒之海"落落寡合地独立陈放在地中央，可能是为了人们可以从四面八方围观它的风采。它的颜色是极清淡的浅粉，打个比方吧，好像满天飘洒坠落的樱花，被取来了一瓣，轻轻地放在白丝帕中，拧出了一小滴汁。然后将这极微小的一粒粉汁，放入一大盆矿泉水中，然后放到北极，经过周天寒彻的冷冻，成为一块无瑕的冰。小心翼翼地敲下一块儿，就成了钻石。它清冷寒澈，极浅淡的樱红色，散射着柔和无比的光芒，好像一朵花在害羞地沉思。"光芒之海"的重量是一百八十二克拉，它的具体尺寸是：长一点五英寸，宽一英寸，厚零点三七五英寸（一英寸等于二点五四厘米），整个钻石呈现出令人心痛的美丽。它是世界上最大的业已琢磨的钻石之一。还有一块与之比肩的钻石，名叫"光明之山"，史称"科依诺尔"。"光明之山"也是稀有的艳钻，呈淡蓝灰色，重量比"光芒之海"少一些，为一百零五点六克拉，因为发现的时间比"光芒之海"早，咱就称它为哥哥吧。这两颗赫赫有名的兄妹艳钻，原来同属于印度的莫卧尔王朝，如今天各一方。哥哥"光明之山"几经转手，现为英国王室所有。2002年4月9日，在伦敦威斯敏斯特教堂举行的王太后葬礼上，"光明之山"被放置在王太后的棺木上，举世目睹了这一宝物。妹妹孤寂地留在伊朗的金库里，供万人瞻仰。

待我们翻过来掉过去瞧了个够，翻译微笑着问，你们可知道钻石究竟是什么东西？

大家说，知道，就是金刚石嘛！

翻译说，把金刚石和钻石混为一谈，这种说法不准确，钻石是金刚石精加工而成的产品，它们之间的关系，如同麦子和馒头。麦穗要经过多少寒暑和碾磨，还有蒸煮，才能成为食品？钻石是金刚石变化而成的，这条道路十分艰难。先说金刚石，它之所以宝贵，是因为在世界天然矿物中，它是最坚硬的晶体。测定矿物硬度最常用的标准，是德国科学家莫氏（Priedrich Mohs）定的，共分十级。金刚石就矗立在冠军的宝座上，它的硬度是十。咱们常见的铁，硬度只有四。纯铜就更软了，只有三。

因为无与伦比的坚硬，很多人想当然地以为钻石一定成分很复杂，其实它是最简单的宝石，只由碳元素这独一味组成。说起这碳元素的底子，实在是平常之物。比如能燃烧的煤块、书写时乌黑易断的铅笔芯，还有入口即化的白砂糖，其主要成分，都是碳原子啊。

大家笑起来说，知道，钻石和咱平日吃的大米饭，是未出五服的近亲。

翻译说，人们常常以为复杂才有力量，神秘才不平凡。却不料身为宝石之王的钻石，单一到了不可思议。那么，为什么煤炭和馒头，并没有成就伟业，是什么使普通的碳元素，变成了光艳闪烁的珠宝呢？

翻译接着强调，所有的秘密在于原子之间的链接。每一粒金刚石，都是碳原子忍受过极高的温度和极大的压力之后才形成的。如果压力不够高或是温度不够高，或者虽然有过高压高温，但时间不够长，碳的结晶连接便杂乱无章，只能形成黑油油的石墨。告诉你们一个检验真假钻石简便易行的方法。先找来一支石墨芯的铅笔，再把钻石用水湿润，然后用铅笔轻轻地刻划一道。如果是真钻石，晶

面上不留任何痕迹。如果是玻璃、水晶等物件,就会在表面上留下黑痕。

我们听后大不解,问这钻石也有灵性吗?认出和石墨本是同根生的兄弟,所以一见面就亲热地不分彼此吗?

翻译说,它们的化学成分是一样的,只是排列的不同。就像一滴水落进了大海,水和水就大团圆了,你分得出这一滴水和那一滴水的界限吗?

虽然在理论上说,只要有了一定的压力和温度,钻石可形成于地球的各个历史阶段,但目前开采出来的钻石,历史都极其古老,几乎全部形成于距今三十三亿年前或是十二至十七亿年这两个时期。来自南非的钻石辈分就更大了,大约在四十五亿年左右。那时地球刚刚诞生不久,钻石便已开始在地球深部结晶。

古老而单纯的金刚石一经形成,在自然界就没有任何力量能让它们磨损和消失。像"光芒之海"这种极其稀少的带色艳钻,身世更为不凡,它们主要是由火山爆发才显露人间。地球深处的岩石由于火山活动,被带到地表或地球浅部,经过风吹雨打而风化、破碎,在水流冲刷下,破碎的原岩连同钻石被带到河床,甚至海岸地带沉积下来,在某一天被某人幸运地发现,从此崭露头角。好的钻石,同时具备美丽、耐久和稀少这三大要素,集人间最高的硬度,极强的折射率和色散度于一体,于是理所当然地成了宝石的王者。而一颗精美绝伦的钻石,除了大自然的恩宠之外,还有无数人的汗水掺杂其中,从它的开采、分选、加工、分级、销售,到最后卖到购买者手中,涉及二百多万人的劳作。如此说来,一枚钻戒的晶莹中,每一道折射的光线,都凝聚了数不清的心血。钻石是天地和人间的合谋,才升华得如此美艳。沧海桑田千变万化中,唯有钻石坚定地保持原始而单纯的透明,雄视天下。面对如此的繁复和悠久,你不由得对钻石蕴藉的时间和品质肃然起敬。

走出珍宝馆,在明亮的阳光下,我们有一刻悄然无声。翻译最先打破了沉默,说,请大家互相对视一眼,看看彼此眼珠上是不是还有宝石的光斑存在?明知他是开玩笑,我们还是不由自主地互相瞄了起来,然后才算微笑着回到了人间。翻译说,我领着很多人参观过珠宝博物馆,出来之后大家都会沉默。这挺有意思,我一直没想出来这是为什么。也许是因为看完之后和没看之前,对财富的认识起了变化。

我说,你认为这是什么变化呢?

翻译说,会觉得这些旷世珠宝,不应该属于任何人,只能是属于整个人类。它们曾是大自然的杰作,不应该被任何人攫为己有,国王不行,其他人也不行。

我频频点头,问他也问大家,那么,在所有的珠宝中,你最喜欢哪一枚?或者说是哪一珠宝组团呢?

面对汪洋大海般的珠宝库,我一时词穷,不知道如何称呼,自创了"珠宝组团"这词。

大家纷纷作答。有人说是珠宝地球仪,让人从感官上就觉出地球珍贵乃无价之宝。有人说是孔雀开屏形状的国王座椅,威严中透出奢靡,不可一世。有人说是那堆积如山的零散宝石和珍珠,因为它们还未曾雕琢,或许能制造成最瑰丽的成品,最美的可能性蕴含其中。

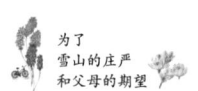

翻译说，我最喜欢"光芒之海"。现在，作为纪念，我送大家每人一颗"光芒之海"。

我们大笑，说别逗乐了，你送不起的。"光芒之海"价值连城，或者说根本就是无价之宝，这颗钻石曾引发波斯王国和印度的血雨腥风，岂是你可以拱手相送的？再说啦，送每人一颗，你好大的口气！好像这"光芒之海"可以批发似的，谁不知道，"光芒之海"是倾城倾国的孤品啊！

翻译收敛起笑容说，每次参观后，我都会对大家说，送你一颗"光芒之海"。不错，粉红艳钻"光芒之海"，这世上只有一颗，我们没法子也不应该将它攫为己有。不过，每个人都可以藏有一颗心灵的"光芒之海"。你可以像它那样高贵而尊严，天下独霸，唯此为大。没有人能够重复你，你拥有无与伦比的价值。你可以始终如一地像它那样清澈如水，无论深陷怎样的泥沼，抹上多少血腥，依然洁身自好，单纯如一，不计人间宠辱。还要说说它的颜色，如最浅的碧桃花落入流动的溪水中，疏淡静雅，内敛安宁。真正的爱，正是以这种颜色这种状态为最佳，不浓烈，但持久。不汹涌澎湃，但永不停息地流动。它简单到只用一个"爱"字就可以全然概括，如钻石的组成成分唯碳一味那般单纯。心灵的连接应该做到如此紧密，就像钻石无坚不摧，永不弯曲。最后一条，我喜欢它的名字——"光芒之海"……想想看，数不清的金色的线条汇聚成海，那是多大的能量和多么持之以恒的温暖啊！

在德黑兰熙熙攘攘的大街上，我们不由自主地把手掌微微地拳了起来。每个人的手心，都握住了一颗"光芒之海"。

为了雪山的庄严和父母的期望

轰先生的苹果树

第一次听说此次日本之行，要在长野县大豆岛的农民轰太市先生家住一天时，半是欣喜，半是忐忑。高兴的是可以由此深入普通的日本人民中，体验一下他们的生活，真是难得的好机会。不安的是，想象中的轰先生是一个很严厉的人，因为"轰"这个姓总使我联想起夏天的暴雨和闪电雷鸣。

一见到轰先生，我就乐了。他是一个非常和善的老人，矮而健壮的身材，好像北方的橡树。他的大脑门亮晶晶的，在明媚的秋阳下，闪着汗珠。他不像常见的日本人，嘴角总是抿得很紧，仿佛时刻都在思索，而是经常忘情地哈哈大笑，好像一个快活的大孩子。

轰先生的家是一所古老美丽幽静的和式住宅，斗拱飞檐，显出一种历史的沧桑感。院落里林木苍苍，各色常绿植物修剪得异常精致，仿佛放大了的盆景，表明了主人不同凡俗的雅趣。

轰先生一家为我们的到来，真是忙坏了。你想啊，一下子来了五个外国人，吃喝坐卧，不是一个小工程。轰先生的妻子绿女士和他的妹妹、儿媳扎着浆洗一新的围裙，为了我们不停地忙碌着。我们品尝着精美的日式菜肴，吃得非常开心。吃完饭，轰先生招呼我们沐浴。

我心中有些嘀咕：天这么凉，要是冻出感冒，再转成气管炎，异国他乡的，岂不麻烦？

没想到，轰先生一家为我们想得周到极了，先是大小浴巾，再是和式睡衣，最后干脆抱来了两大摞长短袖的棉睡袍，堆在地上，好像两座小山。我们全副武装穿在身上，面面相觑，不由得开怀大笑。打趣说，男的都像鸠山，女的都像阿信了。

我们在轰先生家度过了非常愉快的一天。老人家自己种稻田，他招待我们吃的米饭，就是亲手种出来的。我敢肯定地说，这是我平生吃过的最香的米饭了。

我们都夸老人家的米好。他笑眯眯地说，我种的柿子那才叫好呢，全日本第一。我们听了频频点头，心想这样善良勤劳的老人种出的柿子一定出类拔萃。

轰先生接着骄傲地宣布，他种的富士苹果是全日本第二。他说得是那样肯定，我不由得问：是不是进行过正规的全国评比，您的苹果得了银牌？

老人眨着眼睛笑起来说，全日本第一的苹果还没有长出来呢，因为没有第一，所以，我的苹果树就是日本第二了。

我们愣了一下，明白了老人家的诙谐与幽默，也会心地笑起来。不管怎么说，看轰先生的自豪样儿，他的苹果树百里挑一那是没得说了。

吃了午饭，我们和轰先生的文友欢聚座谈。轰先生是作短歌的高手，又是短歌同人刊物《原型》的主编，亦农亦文，深受大家爱戴。

座谈会开得非常成功，但我心里一直惦记着轰先生的苹果树。

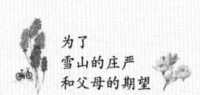

说起来惭愧,从小到大,我吃过无数的苹果,但还从没有自己亲手从树上摘过苹果。没想到东渡扶桑,到日本的果园来摘苹果,这苹果又是全日本第一,真是一件有趣而又有意义的事情。

我们沿着乡间的小路,缓缓地向轰先生的果园走去。10月的日本晴空万里,干燥凉爽的秋风,带着苹果的甜香扑打着我们的衣襟。远处山峦上最初染红的枫叶,像拍红的手掌,在招呼着我们。

这一带是苹果产地,果然名不虚传。一株株精心培育的苹果树,迎风而立,硕果累累。小路四周的地面,银光闪闪。果树下的土地上都铺着雪亮的金属箔,好像无数面巨大的镜子,用以反射阳光,普照苹果的各个部位,这样结出的苹果不但颜色像玫瑰一般艳丽,而且含糖量高。果园的上空还罩着结实的尼龙网,刚开始我们还以为是防盗,后来一问,才晓得是为了防鸟啄食苹果,这样才能保证每一个苹果都无褶无疤,玉润珠圆。

我一边走一边想,轰先生的苹果树既然是全日本第一,那他树下的银箔一定最亮,他树上的尼龙网一定最大,他的苹果一定像红宝石一般美丽。

正想着,轰先生停下脚步说,喏,到了,你们可以尽情地摘苹果了。

我定睛一看,吓了一跳,这实在是一片太平凡的苹果园。咳!甚至连平凡也算不上的。苹果树上没有遮天蔽日的尼龙网,苹果树下没有银光闪闪的金属箔,树不高大,果不繁密,在周围一大片人工精心雕琢的果园中,显得简朴而随意。树上的苹果因为没有接受到阳光各方面的照射,半边青半边红,远没有想象中那般夺目。

轰先生,这是您的苹果树吗?我半信半疑地问。

噢，我也不知道这是谁的苹果树。不过，你们摘就是了，保证没有人来管你们。别看这树上的苹果不大好看，可它的味道可好了，它里面有蜜！轰先生摇着他聪明的大脑袋，眨着眼睛说。

我们走进果园，七手八脚地开始摘苹果，站在苹果树下大吃起来。平心而论，轰先生的苹果还是相当优良的，甜脆爽口。但因为没有尼龙网和金属箔的养护，果皮上有小鸟啄过的黑斑点，味道也略略有点酸。

人真是不知足的动物。我一边大嚼着轰先生的苹果，一边紧盯着邻居家的果园，心想别人那边像红灯笼一样鲜艳的红苹果，该是更好吃吧。

我们吃饱了苹果，又摘了一兜，才迎着暮色回到轰先生的家。真应了那句中国老话：吃不了，兜着走。

丰盛的晚饭后，轰先生拿出纸笔，文人们开始舞文弄墨了。

我写诗是外行，站在一旁伸着脖子屏息欣赏。

轰先生写下他的一首短歌：

我闭着眼睛，四周一片寂静，
沿着阶梯，走向湖泊的深处，
那里，
有什么呢？

那一刻，四周真的变得十分寂静。听了轰先生的诗句，我的心灵深处有一根琴弦被触动，有一种温暖的感动壅塞喉头。

大家笑着追问老人，在湖底到底会有什么呢？

为了雪山的庄严和父母的期望

恰在这时，轰先生的妻子绿女士来为我们送茶，轰先生遂一本正经地回答，那里有美人啊！说着，亲热地拍了绿女士一下。

我们大笑，为了轰先生的风趣和他美满幸福的一家。

在轰先生家的榻榻米上安睡一夜。清晨，要告别了，大家恋恋不舍地分手。我为轰先生写下了这样一句话："您使我想起了中国神话中的山野仙翁。"

到了东京，在车水马龙的城市人流里，在扑朔迷离的霓虹灯下，我又拿出轰先生的苹果端详。它朴素天然，携一种大自然的清新空气，这其中又注入了轰先生对中国人民的深情厚谊，越发显得沉甸甸了。

我坚信，它是日本第一的苹果。

太平门与非常口

在日本，无论多么小的一处公共场所，比如山野中的小店，郊外的咖啡馆，都会在极显著的位置标有"非常口"的字样，标牌上有一奔走着的绿色小人，步履匆匆。

什么叫"非常口"？我们问。日文同汉字常常字同义不同。

就是咱们那儿"太平门"的意思，指示人们发生灾难的时候，立即从这里逃脱。翻译解释。

高耸入天的大厦上，每层必有一扇窗户涂抹红色三角，在阳光下触目惊心地闪烁着。问是何意，难住了翻译。他虽说来了二十多次日本，未曾注意到这个红三角。后来问了日本人，才知道这是专为救火队员准备的标志，说明这扇窗户是特制的，烈焰熊熊之时，可以临门一脚，踢碎玻璃，灭火救人。

夜晚行走于大街小巷，随时可见"大东京火灾"、"长野火灾"、"大阪火灾"……的霓虹灯，吓得人头皮一阵阵发麻。虽然经过解说，知道这都是日本保险公司的名称，仍是心跳不停。

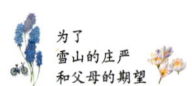

在东京最大的国立"东京江户博物馆",专设有日本东京历次灾害展示,包括火灾、震灾、匪灾……的时间、地点、殃及人数、损失数目,一一列举分明。甚至运用电声光手段,以大屏幕电视显示出烈焰吞噬城市的场景,使人终生难忘。

日本随时处于防患灾难的警觉之中,好像一只引而不发目光炯炯的灵猫。

回想近年来我们一场场浩大的火灾,特别是克拉玛依那一朵朵夭折的花瓣,对比扶桑,感觉我们的灾难意识需要加强。

我们这个民族,习惯于吉祥与平安,对于灾难,多隐语与象征。比如失了火,偏偏不说那个"火"字,只说是"走了水"。细想起来,这词也有几分道理,水原是规规矩矩地待在那里,冷不丁荒诞地"走"了起来,必有一个可怕而险恶的大原因。

水能灭火,水走到哪里,哪里就灰飞烟灭,事情也就化险为夷了。这愿望自然很善良,殊不知,宝贵的时间就在这烦琐的概念转换过程中流逝,紧张的神经在延误和粉饰中麻痹。

中国人对灾难的"翻译",表现了一种漫不经心的徐缓,日本人则要直截了当、咄咄逼人得多。我小的时候,就对礼堂里的"太平门"三字,百思不得其解。问了大人,说那是一扇平日里用不着的门,不用管它就是了。

从此我看太平门的目光,就是懒洋洋的,潜意识里,甚至觉得它是一个赘物。

日本人斩钉截铁地将它命名为"非常口",表明它是在非常时期的一个出口。试想哪一个人面对着"非常"二字,敢掉以丝毫的轻心呢?!

为了雪山的庄严和父母的期望

一个"太平",一个"非常",表达的是两种不同的思维。我们寄予的是最后的美好期望,日本人指出的是当前严峻的形势,现实比希望更加有力。

再如保险业。我们将它译为"保险",给人一种冬日暖阳般的放松感安全感。东洋人惊世骇俗地直接定名为"日本火灾"、"日本生命",令人凛然一震,顷刻绷紧了全身的神经。我们宣布的是危机结束后的善后安抚事宜,他们警告的是灾难爆发时的巨大伤害。对于预防抵御灾难来说,毫无疑问,后一种状态比之前一种状态,要强大机敏得多。

也许这只是文字游戏,但回得国来,发现文字上也确实是有游戏的。在日本任何一架电梯里,都在显要位置标明:当遇到地震、火灾等灾难时,切不要在电梯内避难,不要继续使用电梯!

这当然是极对的。灾难时,一应电器的使用都应禁止。但日本产的电梯到了中国,就无声无息地消失了这一行性命攸关的字样。我不知是什么人用什么样的橡皮,擦掉了对于灾难的提醒和忠告。

直视灾难,也许是制服灾难最好的角度。

轻松山房

广西柳州有一座美丽的公园叫做大龙潭。龙潭公园有极清冽的水,极秀美的山,这些都不足为奇。广西多风景,看得多了,好比珍馐日日,终也有厌倦的时候。跟着导游亦步亦趋,她说这是一个什么景,我就连连点头,以表示对主人及对景色的尊重,只求她不必详说。

这是轻松山房。小姐款款道来。

一座小楼。粗看是木头的,其实是水泥的。擅长做木匠活儿的柳州人(世上有死在柳州一说,就是指这里的木工手艺超群,做出的楠木棺材享誉东南亚。)把水泥漆成干燥的轻松色,好像刚刚剖开的松木,仿佛还有松脂味。每隔一段,还精致地画出木节,惟妙惟肖,就差画出几个

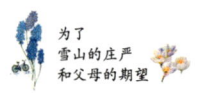

虫子眼了，要不连啄木鸟都得上当。也不知这山房是派什么用场的，青山绿水掩映下，还算雅致。我胡乱点了一下头，算是看过了，预备举步向前。

您们凑近看看，那上面镶有一副对联，挺有意思，柳州一绝呢。小姐热情相邀。

同行的人并不理睬，匆匆远去。想一座水泥房舍，必不是什么名人故居。导游小姐有些不知所措，又不好把人强拽回来欣赏这座基本平常的小楼。

我不忍看她尴尬，就很敷衍地走过去，看那对联上潇洒的行书。

男女有别来此寻方便须看清方向
大小均可入内得轻松请注意卫生
横批：轻松山房

我瞠目结舌。这座山房是……实际就是……我的判断已然作出，但惊异地盘旋着，不敢贸然落下。因为那结论不雅。因为我从未见过类似的景点。我们是一个喜欢饮食文化的民族，却常常只注意了竹筒的这一端而有意忽视那一端。我们过分讲求儒雅，有时却忘了对自己天然的尊重。

我看着小姐，小姐也看着我，鼓励地微笑着，敦促我将那答案说出口。

这是一处厕所。我说。

是啊！小姐快活地笑起来，这是我们柳州一景，也许是全国最漂亮的厕所，起码名字是的啊！

为了雪山的庄严和父母的期望

细细看去，轻松山房是座二层小楼，形状类似颐和园的石舫。扶梯而上，内里四处都很洁净，很干爽，没有丝毫异味。到处保持着暗红的木质色调，更显出卫生洁具的雪白。仿佛有巨大的抽风机在看不见的地方运作，空气清新如晨。细细观察，屋顶和墙看似一体，实则是分开的，有蓝色的山风从那间隙呼啸而过。紧贴着山房长着一丛丛茂密的修竹，竹叶把扶疏的影子探进来，像扇骨一般摇曳着。

聪明幽默而又风雅的柳州人啊！真难为你们盖了这一座美丽的建筑，起这一个诙谐的名字。轻松二字，含一种调侃一种写实一份彼此心照不宣的机智。山房的命名，又合了这山合了这竹合了这龙潭清幽的风韵。

走出轻松山房，我对一直等候的小姐说，我会记得柳州。

一位先行者赶回来，不好意思地问小姐，跑了好远，也没有找到个方便的地方。你可知道这附近哪里可行？小姐说，谁让你刚才不在这里停一停？

那位先生惊愕地说，这么漂亮的地方，哪里想得到是"出处"？

他刚要进去，突然问道："不知门票要多少钱？"

我这才记起，轻松山房是不收钱的。

第五辑

青山藏在白云间

如果脚印有声响和歌声,
这千山万壑中,
一定鼓乐齐鸣激荡不息。
如果脚印有光芒,
这里就是第二个太阳栖息的地方。
如果脚印化成飞鸟,
你将看不到任何一座山峰的影子,
它们都会被翅膀所覆盖……

为什么要到非洲

非洲的全名叫"阿非利加洲",意思是阳光灼热的地方。

让我始终心生疑惑的是——"阿非利加",按照中国人的习惯,应该称它为"阿洲",不该取第二个字音命名啊。就像我们不能把"亚细亚"说成是"细洲",不能把"欧罗巴"称为"罗洲"。

从小学地理,讲到每个省份或地区,首先就是记住面积。在地球上来来回回走了几趟,才发现面积这个东西实在是要命的。一个国家如果没有了面积,那就是亡国。就像我们每个人挥之不去的集体无意识,和祖先占据的面积也密切相关。泱泱大国自有妄自尊大、满不在乎的意识沉淀在胸,弹丸小国、立锥之地的子民,多见谨小慎微、见风使舵的秉性遗传。

早先我一想到非洲,脑海中涌出的画面大致有这么几幅。

黑如漆墨的当地人、荒芜的草原、无尽的沙漠,还有惊慌蹦跑的羚羊和懒散伟岸的雄狮……哦,说不定你也是这样想的。我们都是《动物世界》的拥趸。

骨瘦如柴的百姓、铁皮房顶的城市、艾滋病的泛滥和埃博拉的高死亡率、赤裸上身的原始部落居民和政变……哦,你是个关心世界风云的人,每晚都会看《新闻联播》。

为了雪山的庄严和父母的期望

如果你关注有摄影界奥斯卡之称的"荷赛",你会记起肋骨如刀的老人、裂如龟壳的土地、倒毙的鸟禽、嘴唇上趴满了苍蝇的儿童……

早年间我们曾高呼过口号:解放世界上三分之二生活在水深火热之中的人民……现在我们知道其中很多人过得比我们好,但也固执地相信还是有挣扎在黄连中的苦人。如果一定要你落实水深火热的存在感,非洲大陆恐怕是当仁不让之地。

一位黑人知识分子对我说,如果把非洲比作一只长长的象牙,那么,它的两端一点儿都不穷。南部的南非,就是一个富裕国家,它的国民生产总值超过了比利时和瑞典。非洲北部的突尼斯与摩纳哥,加上埃及,都有相当不错的生活。真正穷苦的地方,多集中在非洲中部。

印象中的非洲,除了穷苦,就是酷暑难耐,几乎不适宜人居住。追本溯源,这个看法估计来自非洲拥有撒哈拉沙漠。它是世界上最大沙漠。不过撒哈拉大沙漠尽管很大,但并不囊括非洲的全部。就算它遮天蔽日,也只占到非洲大陆总面积的百分之三十二。非洲其余的面积还是适宜人居住的宝地。那些位于赤道上的国家,美若天堂。

你可能会反驳,赤道多么炎热啊!是的,赤道像条火绳,红艳艳地绑在非洲腰间,但身临其境方觉那里并不炎热。要知道决定自然界温度的,除了纬度这个因素,还有个大智若愚的狠角色,那就是高度。不要忘了非洲是高原,海拔每升高一千米米,气温就会下降六摄氏度。不可一世的纬度在温和隆起的高度面前倒地便拜,居了下风。那些被赤道腰斩的国家,比如肯尼亚、乌干达、刚果(金)和刚果（布），还有加蓬，由于地势较高，年平均温度基本维持在二十多摄氏度，犹如咱们云南的昆明，四季如春。

实不相瞒，之前我还有一个诡异的想法，觉得那里遍地行走着威风凛凛、头插羽毛的酋长，野生动物东游西逛、横冲直撞……百闻不如一见，真相并非如此。即使是在非洲的国家公园和私人领地的野生动物保护区，你能不能看到种类和数量足够多的野生动物，也完全没有保证。一切取决于你的运气，野生动物比想象的要稀少很多。到了非洲，未曾和多种野生动物晤面，只得悻悻而返的旅人绝不在少数。只是他们大多不说，反正看见还是没看见，只有非洲无言的天空知道。说到神秘莫测的酋长，对不起，除了在原住居民保护区看到那些身披特制服装的表演者，真正手执权杖的土著酋长，我是一个也没见到。很多非洲国家已渐渐跨入了现代化的门槛，少许保留下来的酋长们，无奈地隐没在荒野深处，一般人无缘相见。

习惯上总是说"黑非洲"，好像非洲都是黑色人种。从南到北在非洲大陆几万里路（曲曲折折，把各种交通工具都算上）走下来，才发现这块土地上更多的是混血融合的人。惊奇地发觉黑肤色并不是铁板一块，而是分为很多层次。有黝黑发亮的炭黑、像哑光一样能吸收所有光线的深黑、微微泛着黄色的棕黑、更为明亮的黄黑，还有稀释如淡墨水的浅黑……无数细微的差别，让你觉得人的皮肤原来可以如此富有层次感。常常会看见打着太阳伞出行的黑人女子，瞧着艳丽花伞下的黳黑面孔，我有时会毫无恶意地思忖——都黑成这样子了，阳伞的用处几近于无吧？但听到埃塞俄比亚人非常正式地说，我们不认为自己是黑色人种，只是被晒黑的人。

非洲的人种，大而化之地说，在撒哈拉沙漠以南地区，生活的

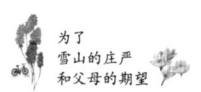

是土生土长的非洲黑人。北部非洲，如阿尔及利亚、埃及、摩洛哥、突尼斯等国，是白色人种的阿拉伯人。而在马达加斯加，则是黄种人。

2008年，我乘船环球旅行，走的是北半球航线，主打人烟稠密的亚洲、欧洲、美洲。对于非洲，只是轻轻掠过了北部，通过埃及的苏伊士运河。本老媪决定在有生之年去一次非洲，趁眼已花耳未聋这当口儿，瞻仰这块神秘大陆。

一个想法就像一颗橘子的种子。可惜没有魔术师，不能让橘子籽立刻长出绿叶，挂满金灿灿的橘子。咱普通人对于心底的念想，能做的事儿只有积攒盘缠和等候时机。

等待这事儿，不能太着急，也不能太懈怠。太着急就容易仓皇，太懈怠了就容易碎弃。于是我开始呼风唤雨，每日兴起法术——呼风就是天天早上都想想要去非洲这件事，期望吸引力法则，让我心想事成；唤雨就是高度留心和非洲有关的一切信息，集腋成裘。

自我大兴法术之后不久，收到一家旅游杂志的电话，说他们看到我在新浪上写的一篇博文，内容是在加拿大寻找北极光的事。他们说很想采用这篇博文在杂志上刊出，征询我的同意。此等天上掉馅饼的事儿，我自然忙不迭地表示赞同。临放下电话的时候，对方说，毕老师可还有什么要交代的事儿？

我很没出息地说，除了寄样刊，记得付稿费啊，我正在攒去非洲的盘缠呢。对方很周到地说，稿费虽微薄，一定会速付。同期杂志上也有关于非洲旅行的信息，您可以留意。

杂志终于到了。相关的文章是介绍一列"非洲之傲"的火车，顶级奢华，终年驰骋在非洲大陆上，有多条线路可供挑选。最精彩

为了雪山的庄严和父母的期望

的是它有一趟一鼓作气穿越非洲的旅程，两年发一趟车。我一边看，心跳一边加速，好像那火车喷出的白烟已经弥漫在眼前。文章结尾处，留有一个用于联系"非洲之傲"中国总部的电话号码。

我迫不及待地抓起话筒，拨通后准备一诉衷肠，不料对方是电话留言。我踌躇了一下，主要是思忖好的话都是对人说的，不知道面对机器说什么好。最后便结结巴巴地留言，说我对"非洲之傲"的旅程很有兴趣，把电话号码吐露给了那部机器。

放下电话，几乎不抱什么希望。一本杂志的发行量多大啊，一定有很多人看到这则消息，一定会有很多电话打过去。这个机构肯定忙得头昏脑涨。

晚上，我突然收到一个电话，来自新加坡。一个很悦耳的男声，说他是"非洲之傲"在中国的总负责人。他听到了我的电话留言，因为正在国外执行公务，现利用在新加坡转机的短暂时间与我联系。

我一时语塞，感动得不知道说什么好。完全没想到这家机构的负责人会如此敬业，对一个普通的咨询电话如此尽责。我原来准备好的一连串问题，一想到人家在国外的机场，花着高额的电话费，就问不出来了。我只是强调，我对"非洲之傲"很有兴趣，很想多了解一点儿这个项目的情况。金先生正好要登机了，他告诉了我"非洲之傲"的网址，让我先看看。如果有兴趣，等他回京后再与我联系。

我放下电话，立刻打开电脑，进入了"非洲之傲"的网页。点开首页上的五星红旗标志，进入了中文界面。我一边看，一边屏住呼吸，生怕自己喘气大了，吹走了好不容易得来的消息。看到每两年一次的从南非开普敦到坦桑尼亚达累斯萨拉姆的行程，原文中一句——"这是一次史诗般的旅行",让我顿觉喉咙口喷涌出一股腥甜气息。很久很久,没有这样的感觉了。我渐渐老迈,甚至以为自己再也不会为了什么事情而高度激奋,没想到这一个非洲之行的页面就让我血脉偾张。

我记得很清楚,就在那一瞬,我下定了非洲行的决心。无论要花费多少金钱,不管要经历多少繁杂手续,哪怕山重水复、瘴气横行,我都要去非洲!

之后的准备工作,果然非同小可。实在说,比环球旅行还复杂。环球旅行我走的是北线,主要是在第一世界发达国家转圈,各方面的沟通和安排都比较成熟顺畅。非洲则是第三世界的节奏,急不得恼不得。规则常常莫名其妙地作废,意想不到的变故更是家常便饭。除了少安毋躁,预留出更充足的时间和将耐心打磨得更柔韧之外,别无他法。

史诗并不是那么容易吟诵的。到非洲很远,比到北美和欧洲都远。万里迢迢,就是坐北京到南非的直航,也要飞行十五个小时以上。我为了节省盘缠,买的是中途转机的票,加上在机场等候的时间,差不多要近三十个小时。非洲接待条件差,但旅行开销并不便宜,几乎和我全球游的费用旗鼓相当,要几十万元。再一点是非洲相对危险,除了战乱和治安方面的问题,还有闻所未闻的传染病。

终于,一切准备停当。我注射了预防黄热病的疫苗,口服了预防霍乱的丸剂,怀揣着治疗恶性疟疾的青蒿素,带着各种驱蚊剂和药品,加上简单的几件行装,一咬牙一跺脚,出发啦。目的地——阿非利加洲!

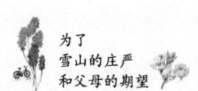

你只见她们盛放,可见她们寂寥

坐着"非洲之傲"绿皮火车,在非洲原野上驰骋。左看风起云涌,山高水低;右看植物枯荣、城市兴衰。须臾之间,一切都在变化中。

时有动物出没,绿叶长百花开。世间百态,鳞次栉比。

我常常几个小时凝然不动望着窗外。

旅游对于我,有明显的教育意义。它使我在奔袭中安静,在纷乱中镇定,使我增加对大自然和生命的景仰。写一段观花之感。

马蹄莲是我在寻常的桃花杏花玫瑰花之外,认识的第一款不同凡响的花。说它不同凡响,是因为那个年代那个时刻。它当时被周恩来总理抱在胸前,寒风中盛开。拍摄于周恩来出席苏共"二十二大",中途愤而退场回到北京时,毛泽东、刘少奇、朱德同去机场接他的瞬间。照片上除了四位叱咤风云的伟人,就是这束洁白的花朵夺人眼球。这花的身份,自是矜贵神圣的。

我不知道这花叫什么名字,问周围的人,大家都不知道。多年后,我认识的一位开花店的朋友,告诉我说,那是马蹄莲。

我说,那花好像一朵只有一瓣,是一匹白马的独蹄。

朋友不理我的插科打诨,问,你可知马蹄莲的花语?

我说，周总理从充满火药味的战场上归来，领袖们抱着马蹄莲去接他，这花的花语大约是战斗与胜利。

朋友笑得弯了腰，说，马蹄莲的花语是——"忠贞不渝，永结同心"。在西方婚礼上，常常被新娘捧在手中。

我惊诧地说，依当时的形势，这花语似乎阴差阳错了，最起码是八竿子打不着。

朋友说，那时是1961年的10月，已是北京的深秋。一般的花都凋零了，只有马蹄莲还坚持开放，所以人们就采下它当作迎宾花，并无其他的深意。后来人们传说领袖特别喜爱马蹄莲，其实没有根据。

我说，百花肃杀之时，马蹄莲依然开放，它挺皮实啊。

朋友说，也不尽然。马蹄莲喜欢大肥大水大光，还酷爱酸性土壤，养好它要施硫酸亚铁呢。

依我的医学知识，知道贫血的病人要补硫酸亚铁，却不晓得看起来洁白如雪的马蹄莲也好这一口。

很多年后，我坐着火车，某一天行进到了某一国，午睡醒来，无意中往窗外一瞟，当即被震撼。

无垠的旷野上，怒放着一丛丛洁白的花朵，浩浩荡荡。如同天地间原有一只硕大无朋的银盘，砰然迸碎，无数碎屑落入凡尘遍地生根，化作花朵圣洁美丽，傲然挺立。

这是什么花？我扑到窗前，凝神细看。

铺天盖地的白花，是数不清的马蹄莲！

车轮铿锵，快速行进。我再努力，在每一株马蹄莲上，也只能分辨一点点儿细节。好在窗外的马蹄莲大军，前赴后继疾驰而来，

为了雪山的庄严和父母的期望

这使得我虽然距离花朵尚有一段距离（它们从远方直蔓延到铁轨边），但无数次重复之下，对马蹄莲的观察逐步加深。其间火车还有临时停车，更让我能下车仔细端详马蹄莲。认真说起来，马蹄莲每朵只是半片花，且这唯一的花瓣，也只是半开。不过马蹄莲花形虽简，但并不潦草敷衍，竭力把花瓣的优美弧度打造得毫无瑕疵，两侧花缘优雅地延伸到近收尾处，将尖锐与柔和交融在一起，既显示锋芒又毫无攻击性地温和低垂。瓣面上有润洁的白光沁射而出，单纯明朗。叶片翡翠般晶莹地绿着，蜡光灼灼。

我僵在那里，被马蹄莲孑然而立的风格震慑。

我原以为马蹄莲是温室的花朵，还要不断吃治疗贫血的药。却不想在荒凉的非洲旷野上，它们开放得如火如荼恣肆汪洋。我不知火车外是何时出现这些马蹄莲的，只知道从我开始凝视它们，火车又开了几个小时。无穷无尽的马蹄莲，无声无息地怒放着，纷至沓来。花瓣像凝乳像蛋白像蚕茧像遍洒的鹰洋……花容灿烂，银辉普照，兴致勃勃地摇曳，毫无遮拦地展现活力。我一直凝望，直到暮色将马蹄莲染成黑马的留痕。

它们拢共有多少朵呢？我做个最保守的估计，有一百万朵吧。它们已经在此盛放过千年吧？它们没有等待过殊荣，也完全不知道附加的花语，甚至不需要任何理由。盛放就是它们生命轮回的必然，盛放就是马蹄莲的使命和责任。

身为一株会盛放的花，出生在这寂寞荒野里，并不曾走入花店，也不曾出席婚礼，未得伟人擎在手里，甚至能一睹它们绝世芳容的人也很少，它们是不是枉了为了马蹄莲的一生？

马蹄莲是有些禅意的花，它有一个别名就叫"观音莲"。一亿朵马蹄莲吐放着清幽草木的气息,坚定地给出了自己的答案——每一朵花,都有盛放的理由,因为生命的号角在暗夜时分就已经吹响。

人一生,心灵会蒙灰。这并不可怕,但须洗涤。你要找到灵魂的清泉。大海的涛花迸溅,风雨的吹拂鞭打,鸟的欢鸣和鲜花的怒放,都是藏在清泉中的老师。大自然有自成体系的优美,等待你身心与之共振。

人的生平,所占的时间宽窄,是有定数的。耳聪目明手脚伶俐的时光,不过几十载而已。时间如同鲜血,每一滴都弥足珍贵。

旅游是既不安全也不舒适的,但它能带给我们流光溢彩繁花似锦的世界。当我走过的路渐渐漫远,当我双眸注视过的东西渐渐繁多,当我闻过的气味渐渐五花八门,我就不由自主地变得宽容起来,接纳世界的不同与丰富。我的生命日历,已越来越薄,总有一天会露出透明的封底。不过,偷偷告诉你,我早在年轻的时候就已经翻到最后一页偷看过,从此便再无恐惧。

旅行就是听故事。听不同的故事,听没有听到过的故事,听别人的故事。

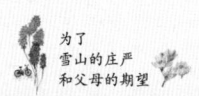

无伤不香

我在密林中跋涉,探望不知名的香草。这是印度洋上的一个小岛,以盛产香料闻名于世,俗称为"香岛"。我的头上顶了一顶香草的花冠,手腕子上悬了一圈香草的手环。手指上,戴着香草编的戒指。走动的时候,香风袅袅。这些香草饰品,都是当地土著的孩童,一边走一边将拦路的香草采撷下,随手编起来送我的。

香草名目繁多,这个是口红的原料,那个可以烤羊排……刚开始我还努力默诵它们的名称,但很快就放弃了劳而无功的努力。浩如烟海,实在太多了。

印度洋的和风从树叶的间隙处吹拂,在这异国的土地上,脑子里想到的竟是屈原。他酷爱香草,把《楚辞》和《离骚》,变成了香草的大典。

"扈江离与辟芷兮,纫秋兰以为佩。……朝搴阰之木兰兮,夕揽洲之宿莽。"

"朝饮木兰之坠露兮,夕餐秋菊之落英。"

……

当年读到的时候,从不曾把江离、辟芷、兰、木兰、宿莽、申椒、菌桂、留夷等等到底是什么植物搞明白,不晓得它们归什么科什么属,甚至连屈原寄寓其中的象征意味也一并忘却了。记住的只是篇章中充满了异香,而香氛可以博得神灵的喜爱。

正遥想着故国往事,突然从香草丛中转出一位老媪,脸色黝黑皱纹密布,整个面容没有任何水分,简直如雷火焚烧过的焦木,比木乃伊还要干枯。

我被骇住,以为碰到树妖。她手背如炭,手掌是淡粉色的。近乎苍白的手心里托着个小瓶子,对我的导游飞快地说着什么。

导游迟疑了一下,看来这位老人家的出现,出乎他的意料。但民族传统中对年长的人非常尊敬,他耐心地听完老媪的话后对我说,老人家说她有一些香料,问你要不要。

我极力隐藏住被袭扰的惊愕,出于礼貌说,什么香料?

导游将我的问话翻译过去。老人的表情变得敬畏,掷地有声地回了句。导游转脸对我说,她说这是一切香之母。

这句话让我好奇。我轻轻地重复,一切香料之母?这是一种什么东西呢?

导游纠正我说,不是一切香料之母,是一切香之母。

我一时反应不过来,问,这难道还有什么区别吗?

导游说,它们大有区别,简直就是原则不同。一切香料之母是不存在的,因为香料如此千姿百态,不可能有统一的母亲。如果一定要找到它们共同的来源,那只能是我们脚下的这片热带土地了。但是,一切香的母亲,是存在的。它就在这个瓶子里,普天下最好的香氛都来自它。

话说到这份儿上,我是非要把小瓶子打开闻一闻了。

拧开瓶盖,凑过去,果然,那些貌不惊人的树皮样的灰绿色颗

为了雪山的庄严和父母的期望

粒，散发无比奇异的芬芳。我好像碰到了一个熟人。

多少钱一瓶？我问。

老人报了一个数字，价值不菲。

若是为了我自己，我就不买了。但我想起国内有一位朋友，酷爱香草。我掏钱把小瓶子买了下来。老妪做成了这单买卖，不说句话，隐身回密林之中。只见树影婆娑，了无痕迹。如果不是我手中留的这个小瓶子，几乎怀疑刚才是幻觉。

后面的参观，我心不在焉，再三追问导游这香料究竟叫什么名字。

他查了手机上的词典，又把电话打到据称是最博学的同伴那里请教，得到的还是一句话，此为众香之母。

回到北京后，我终于想起来，我以前是闻到过这种香的。

那是一个清晨。

风是香的白马。没有风的时候，香也是香的，可惜走不远，固执地停在当地，至多烟气袅袅地在香炷顶上盘旋着，好像旧时的烽火。有了风，香就翩翩起舞了。香对风特别敏感，以婀娜的驰骋之痕描绘出风的每一丝律动。你不知看到的是香的肌肤还是风的花纹。

香师净手后，以香匙从香瓶中舀出微小的绿色香屑，盛放于以白而透明的云母片做的小香盘中，先用香压轻按，让香屑们如真正的薪火般紧密。然后又用香通抖耙了一下，把少许空气掺进致密的粉屑中。

之后，香师用香枪将沉香木屑点燃。

屏气等待。很久很久。粉末大智若愚地沉默着，直到我憋得喘不过气,绝望地以为此粉根本拒绝燃烧。当除了香师以外所有的人,认定火种已然熄灭之时,忽有一丝若有若无的气息,从香屑中袅袅婷婷地升起,断断续续汇聚成一匹细小的龙,蜿蜒而上,扶摇凌空,悄无声息沁入了我们的鼻孔。清丽而甜美的香气,像蚕丝透迤而进,缠扰了肺腑,令人迷醉。

从内到外都被香氛熏染,恍惚被香料将脏腑浸透。此刻吐出的话语,都是香的吧?只是那一刻,却没有人说话,贪婪地呼吸着。

这香氛,来自沉香。

人们常说沉香木,顾名思义却是错的。与檀香不同,沉香并不是木材,是一类特殊的香树"结"出来的"果实"。它是混合了树脂和木质成分的固态凝聚物。沉香多呈不规则块状、片状或盔状。一般长约七至三十厘米,宽约一点五至十厘米,超过一米以上者,就是珍品了。燃烧时散发出的香味高雅、沉静、清甜,沁人心脾,能使人心平气和,进入祥和平静的状态,起到调节人体气血运行的作用。

沉香的母树本身并无特殊的香味,而且木质较为松软,被称为"风树",生长于热带。风树本身并不沉重,原木的密度只为零点四,入了水也鸭子似的漂浮着,和通常的树木并无二样。让沉香沉重起来的是树脂,质地坚硬沉凝。当它的含量超出百分之二十五时,不论是沉香的块、片、甚至粉末,都会遇水即沉,沉香由此得名。古人还为沉香细致分类,取了很多有趣的小名。比如体积较小,状如马齿的,就叫作"马牙香";薄薄一片的,就叫"叶子香";如果沉香内有空隙,就叫"鸡骨香";外表如枯槁山石的,其貌不扬,干脆称"光香"……

沉香树多是乔木,通常会很高,大树可高十丈余。当风树的表

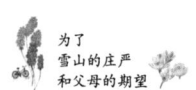

面或内部形成伤口时，为了保护受伤的部位不发生腐烂，风树会紧急动员起来，驱动树脂聚集于伤口周围，以疗治创伤自保。累积的树脂浓度达到丰厚的程度时，如果将此部分取下，便成为可使用的沉香。形成一块上好的沉香，通常需几十年的时间。那些绝世的佳品因其树脂含量高，有时要历经数百年的时间。

以往，沉香是天意的产品。那些含有沉香的母树，寿数到了，倒伏在地，经风吹雨淋之后，能够腐烂的木质都消失了，剩余的不朽之材，就是含脂的沉香了。有的母树倒伏后沉浸于沼泽，被水中的微生物分解，再被人从沼泽中捞起来，被称为"水沉"。如果母树一个跟斗栽进了土层中，深埋于土内，被土中的微生物分解后腐朽，残剩的未腐部分被称为"土沉"。还有一种是把活树人工砍伐下来，置于地上，经白蚁蛀食，那剩余的沉香，称为"蚁沉"。还有一种是在活树身上砍伐采摘沉香，称为"活沉"。

不管何种方式，"风树"都要先受伤。大自然造成风树受伤的原因有很多种，比如山火扑袭野兽攀爬，雨雹撕砸虫蛀蚁噬……甚至不明原因的局部死亡。受伤后所积聚的油脂，在伤口处形成"香种子"，然后风树还会再接再厉，把更多的油脂汇聚到伤口处。这样，香脂就会蔓延，再经千百年的时间醇化，沉香就诞生了。

沉香是甜美的，但取得沉香的方法，却让人惊心动魄。由于自然界野生的沉香极其微小，庞大的需求和高昂的标价，让人们等不及大自然的时间表了。既然沉香来源于风树的伤口，那么，如果人为地让风树受伤，沉香的产量岂不大增？据说最先是越南人发明了这方法。风树如有知，必椎心泣血。

先是选择树干直径三十厘米以上的大树，在树干距地面一点五至

为了雪山的庄严和父母的期望

两米处，狠狠地用刀顺砍数刀，刀刀见骨，深达三四厘米。如果是人，怕早已血流成河生命垂危了。然而风树是顽强的，自受伤那一刻起，就全树总动员，刻不容缓殚精竭虑地为自己疗伤。风树在伤处分泌树脂，包裹创痕，犹如人在大出血的时候勒起止血带。这个过程要持续很多年。不过施暴的人等不及了，几年后，当初下刀的人估摸时间差不多了，故地重游，就像收获庄稼一样，来割取沉香。割取时，将初步成形的沉香取走还不算，还要顺势造成新的伤口。风树为了挽救自己的生命，只有再一次调兵遣将紧急驰援，分泌新的树脂，客观上就生成新的沉香了。为了怕风树受伤太重而死去，人会用愈伤防腐的膜封好伤口，以便让伤口迅速形成紧贴木质的软膜，以利于风树休养生息。待伤口附近数年后再次生成沉香，即可割取。

更有甚者，名叫——断干法。大体和上面所说方法类似，只是砍得更深，要达到树干直径的三分之一至二分之一，以便更多的树脂流出来，以达到结香更快更多之目的。其次还有凿洞法。就是在树干上，凿多个宽两厘米、长五至十厘米、深也是五至十厘米的长方形或圆形洞，用泥土封闭，让其结香。还有一法叫"开香门"。就是用刀在树干上横砍入木质部三至五厘米，造成一至数个又深又长的伤口，促其结香。

一路听下来，背脊发凉。任何一个方法，不管叫什么名字，用什么工具，都脱不了刀剁斧劈剥皮掏心，总之是人为地给风树造成深重的创伤，然后利用风树泌脂结痂的本能，人为制造出沉香来。可以想象的是，几年后，当初动刀动斧的人，该怀着怎样望眼欲穿欣喜若狂的心情，来清点他们的胜利果实。

故事听完，沉香不香了。

香师看出了我们的沉闷，换了个方向，说，沉香有非常好的药用价值。中医药典中说"沉香，味辛，气微温，阳也，无毒。入命门。补相火，抑阴助阳，养诸气，通天彻地，治吐泻，引龙雷之火下藏肾宫，安呕逆之气，上通于心脏，乃心肾交接之妙品。又温而不热，可常用以益阳者也"。

沉香既是稀有的高级香料，又是中国名贵中草药材，再加上还是佛教修行的上等贡品，需求巨大，货源奇缺，价格贵如黄金，现在已是"一片万钱"。最名贵的奇楠香，价钱早已超过了黄金，据说一克三万块钱。宁静的沉香已摇身一变为"疯狂的木头"。空气中便弥漫着植物的血，还有精神的血的味道。

风树是沉香之母。它所结的"果实"虽富可敌城，但母树并不娇气，红壤、黄壤或是沙地上都能生长。

香师问我，如果是特别肥沃，富含深厚腐殖质之地，你觉得风树结香若何？

我说，那自然是结香又多又好啊。

香师说，不然。沃土之中，风树长得较快，但结香不多。荫蔽度大的地方，水分过于充裕，结香也很慢，甚至干脆就不会结香。

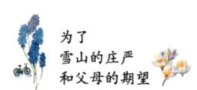

唯有在瘠薄的土壤上生长十分缓慢的风树，虽然长势很差，但利于结香。

我十分惊讶，说，当真？

香师说，比如在广东某地，有白木香树生长了五十年，树高超过三丈，胸径一尺以上，虽然多次接菌种，就是不结香。但同样的白木香，如果在野生状态下，在贫瘠的黏土里，虽生长慢，其貌不扬干瘪瘦弱，反倒结香多，油脂多。香的质量也好，香气浓烈。

说话间，沉香的阳气与香气，川流不息地绕着我们飞旋，使人如沐香河之中。香师说这沉香之氛，不但可以净化环境，还可以借灵木之神转化氛围，营造出最安定、最吉祥的空间。

香师问我，你可知道在野生的沉香中，哪一处结出的香最好？

我说，不知，望告。

香师说，是以风树在雷闪劈裂的断口处结的香，最是极品。

我说，为什么呢？

因为此乃天火烧灼，既不会伤口腐坏，又能高度地刺激风树用最大的力量来分泌树脂，天香啊。你要记得，风树无损不香。

此刻，我对沉香的感受极为复杂。不言而喻，它是人间香氛的极品，但摄香过程如此残忍，简直就是植物界的杀象取牙。

无损不香，风树如此，人间又何尝不是这般！多少精彩是自苦难中着墨，多少旷世奇才要在悲怆中诞生。

风树死了，但它的孩子、它的精华——沉香还活着，袅袅生烟，绕梁三日。

我自认为热带雨林中的神秘老妪所售的万香之母，就是沉香。为了粗线条地验证，我把它取出一点儿，轻轻放入一碗水中。它立

为了雪山的庄严和父母的期望

刻像金属屑一般笔直地坠下，毫不迟疑。我把它打捞出来，只有火柴头的三分之一大小，依然无可遏制地香着。把湿漉漉的它放在我的枕边，一夜安眠，做梦游走在百花园中。

我想这一小瓶沉香，应该是雨林中的风树天然形成的。那老妪，相信草木皆有灵魂，她只取了一点点香屑来售卖，将沉香母树受到的袭扰降至最小。愿这种淳朴的方式能天长日久地保持，实现人与万物共生共谐地存在。

如果你半夜时在极光中看到她

和平号游轮的甲板上有一个游泳池，面积不大，只有几十平方米吧。泳池灌的是海水，有管道与大海相通。游轮航行的时候，海上有五尺浪，泳池里就有浪三尺。从这个角度来说，该泳池是大海的一个微缩版。当大海翻卷巨大波涛的时候，泳池里也是惊涛骇浪。

这样危险的泳池，谁还敢游泳呢？

我第一次看到那位老女人，是在正午的阳光下，她脱去外面的罩衫，正要沿着扶梯走进水中。这个露天泳池旁边没有换衣服的地方，如果要游泳，就得在宿舍里换好泳衣，到了泳池边，脱下外面的衣服即可。

我看到这老女人的第一眼，就庆幸自己是在青天白日下与之晤面。如果在半夜时分，如果在或隐或现的海水中，如果背后正好有诡谲的霞光或是极光，那么，我一定会以为自己碰见了妖怪。

这老女人身高大约一米五，瘦弱矮小。她头发干枯，脖子上的青筋一直延续到手部，皮肤好像多年前的旧宣纸，残破却又有一种奇特的韧性。最骇人的是她的双腿，高度罗圈，就是双膝紧闭，腿弯处也可以夹进一个篮球。她的五官藏在深深的皱纹中，几乎可以忽略不计，好像你看到的只是一段枯老树干。她穿的泳衣是那样破旧，

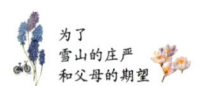

且样式古怪，让人怀疑是不是自己缝制的。就在我这样观察和思考的当儿，她已经沿着扶梯下到了水中。

我原以为她是渔家妇女，就算打扮十分落伍，泳技一定是不会差的。谁想这个期待也落了空，老人家用一种北极熊般的姿势游泳，简直就是站在水里蹒跚走动。我都为她害臊，因为无论从景观还是实用的角度来说，我觉得这位老人家的游泳都是出丑。然而，她就那样优哉游哉地游着，旁若无人。

等她游走（真正是游走，因为根本不能算是游泳，只是在水中艰难地、踉踉跄跄地行走）告一段落，爬上岸来，那模样更是惨不忍睹。典型的幼年营养不良佝偻体型，加上老年后的骨质脱钙，她只比骷髅多一口气啊。然而正是这一口气，让她显得与众不同。她开心地在水龙头下仔细地冲洗身体，然后很仔细地用毛巾擦干每一滴水珠，好像她那残败的身体，是一件名贵的瓷器。再之后是兴致勃勃地披上外衣，迈着罗圈腿走下了甲板。

我呆呆地看着她的背影,心想,她以后还会来游泳吗?

后来,我又多次在游泳池边看到她。终于,我决定打听一下她的身世。原来,这位老人已经八十六岁了,她以前是个鱼贩,卖了一辈子的鱼。现在,她老了,不在小店里干活了。有一天,她突然对儿孙们说,她要到海上去环球旅游。原因很简单,卖了一辈子的鱼,可是还不知道鱼的家乡是怎样的。就这样,她一个人登上了环球游的轮船。

从听到她年岁的那一刻,我就肃然起敬。我不敢保证自己能活到八十六岁这样的高龄,我能保证的是,即使活到了八十六岁,我也绝没有勇气环游世界。她不是一个美丽的女人,甚至可以说是非常丑陋的女人,可她没有丝毫的气馁和畏缩,而是自由自在地表达着自己,放纵着自己,展示着自己,悠闲天然。这正是我一辈子向往的境界,目前还差得太远。

阳历的七夕

每年农历七月七日是中国人自己的"情人节"——七夕节。在日本,人们也庆祝七夕,但他们的七夕节主要不是用来祈祷得到爱情,而是祈求姑娘们能拥有一身好手艺。据说日本过去也和中国一样,在农历七月七日过七夕,1873年日本修改历法后,多数地方的七夕活动就改在公历的七月七日举行。

据说,七夕节是在中国古代传入日本的,经过多年演变,如今已经成为日本夏季最重要的传统节日。七夕在日本原是朝廷贵族的祭祀活动,又称"乞巧奠"。从江户时代开始,逐渐成为一种民间庆祝活动。每年这个时候,大人和孩子都会聚在一起,在五颜六色的长条诗笺上,写下愿望和诗歌,然后连同用纸做的装饰品,一起挂在自家院内的小竹子上,此外还要在院子里摆上玉米、梨等供品,请求织女星保佑自家女孩的书法、裁衣等手艺能有所进步。

我小的时候,听家中保姆讲过一个版本的牛郎织女神话,说是每日的朝霞和晚霞,都是织女辛辛苦苦织出来的,头一天半夜里织完了,天还没亮就被天兵天将拿去铺在东方天边上。刚刚吃了早饭,又要忙着织黄昏要用的晚霞云朵,辛勤劳作,十分辛苦。那时幼稚的我,并不在乎牛郎和织女的分离,总是想,美丽的彩霞是织女的劳动成果,那下雨时的乌云又是谁织的呢?是妖怪吗?天上还另有一个存满了黑色和灰色线团的作坊,也管织难看的布吗?

船上有一位日本女孩,来自仙台。她告诉我说,七夕节在仙台有四百年的历史了,是一年之中最盛大的节日,每年有大约两百多万人参加庆典游行。我仔细想了想,牛郎织女的故事虽说在中国家喻户晓,但起码是近些年,似乎从来没有听说过用游行来庆祝的吧?看来仙台人,真是发扬光大了这个节日。

日本人在改造中国节日方面,很有一套。比如农历五月初五,是中国民间的端午节,这个节日,是在日本的平安时代传入日本的。现在已经日本本土化了,与中国早先赋予这个节日的意义大不相同了。在日本,主要是为了避邪而吃粽子和柏叶饼,菖蒲则是因为叶子的形状像剑,被用来避邪。因为端午有了刀兵之气,已渐渐变成了男孩子的节日。

日本民族不仅仅善于模仿,而且"老瓶装新酒",加入诸多民族特色,让这些传统的节日,虽然在时间上与中国相似,内涵已大不相同。

还是回到七月七日吧。七夕的传说也是源于中国,日本人把它改造成了一个励志的节日。在咱们的故事中,下凡的织女私自与牛郎成亲。王母娘娘发现后,把织女抓回天宫,牛郎担着担子,两个箩筐里,一边挑着一个孩子,好不凄惨。王母娘娘不动恻隐之心,反倒在担着孩子追赶妻子的牛郎面前,用发簪划出了一道浩瀚银河,从此只允许他们一年一度鹊桥相会。这基本上是一个歌颂纯真爱情的反封建故事,是一个自由恋爱的悲剧,其中无奈伤感是主旋律,也不乏坚持和期待。这个故事和七夕节一块儿移植到了日本,日本人

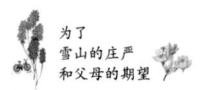

为了
雪山的庄严
和父母的期望

把它动了整容手术,变成了另外一个版本。说的是牛郎和织女在天帝撮合下结为夫妻,但婚后牛郎不再勤于放牛,织女懒于纺织,两人才被天帝分开。为了争取一年一次的相见机会,牛郎和织女从此努力工作。仰望星空千古感伤的故事,变成了励志教育的教科书。

可能是因为这种换汤又换药的差异,日本的七夕,不再悲苦和情意绵绵,更多的是喜庆和祈福。七夕节期间,日本各地都会举行各种庆祝活动,祭神仪式则是其中的"重头戏"。盛大的仪式从七月七日凌晨1时左右进行,此时群星都已升到天顶,是人们仰望牛郎星、织女星和璀璨银河的最佳时刻。

最富有日本特色的七夕风俗是写纸笺许愿。七夕节期间,日本的神社、商店等公共场所都会辟出专门的地方,移栽一丛婆娑的翠竹。人们在五色纸笺上写下自己的心愿,用丝或线将纸笺挂到竹枝上。在靠海的地方,人们通常在七月七日这一天凌晨,趁天还没亮的时候,把写着自己心愿的纸笺扔到海里。据说,这种风俗始于江户时代,是日本人的独创。

也许是因为出门在外,思家心切,所有的节日都让人格外郑重和在意。七夕之前,和平号游轮的翠竹上面开始悬挂缤纷彩饰。各色纸笺如蝴蝶般扑到了翠竹上,绵绵密密的几乎看不到假竹叶了,有点像挂满了礼物的缩略版圣诞树。由于纸条太多,假竹子有点不堪重负。我本来也打算写点什么表达祝愿挂上去,后来一看祝愿太拥挤了,估计日本的织女也顾不上惠及我这个外国老太太的愿望了。本人老眼昏花,持针手抖,早已是做不成女红了,就不祈了吧。至于字写得漂不漂亮,也已定型,老大徒伤悲。

在日本习俗里,当七夕的庆典结束时,供品和竹子上的纸笺将

为了雪山的庄严和父母的期望

被放到河里顺水漂走，以此象征着自己的心愿能够到达天河。和平之船是环保先锋，虽然大海对于这区区几张彩纸可能并不在乎，但还是没有人把纸笺丢入大海，就只能让它们孤寂地在假竹子上慢慢枯萎了。好在，大海是和天空接触最频繁最紧密的地方，接触的面积也是最大的。这些心愿就是不埋在水中，也能直捣天庭。

可能你要说，和天空最接近的地方，应该是高山啊！比如喜马拉雅山的珠穆朗玛峰啊！

我觉得接触这个事，不但要有高度，还要有宽度。比如珠穆朗玛峰的峰顶，多么小的一块地方啊，至多能站上几十个人吧？因为没去过，只是看着别人登顶的影像资料猜测，可能不准。但不能容纳上百个人站在峰顶，估计是没错的。可大海，无边无际啊！半夜时分，假如没有风浪，你走上甲板，可以看到万籁俱寂万物轮廓俱失，世界上仅存两样永恒波动的物体，相互舐犊情深。这就是蓝得发黑的大海和黑得透蓝的天空。在这里，有世界上最辽阔最亲密最生死与共的接触，风和雨、水和汽、古和今、生命和死亡……所有的信息都毫无保留地交换着，包括万物的前世今生。你还有什么心愿，不能飞抵它的胸膛？

第六辑

在我们生命的远方

当我深刻地体验到一己的微不足道和瞬忽即逝的宿命后,
决定再不无谓地消耗一分钟,
尽心尽意做喜欢的有意义的事,
让渺小的生命与一种广博的存续连接,
如同浪花在海洋中快乐嬉戏并生生不息。

冈仁波齐的秘密

1999年8月,一批俄罗斯科学家来到中国西藏,探寻传说中的"上帝之城"。

上帝之城究竟是什么样子,他们似乎没有得出结论,考察中意外地发现了世界上最大的金字塔群。

组长穆尔达舍夫宣布了他们的发现:"我们确信在西藏有世界上最大的金字塔群,一种严格的数学规律将西藏的这个塔群与埃及金字塔、墨西哥金字塔以及复活节岛、索尔兹伯里史前巨石联系在一起。我们总共发现了一百多座金字塔和各种古迹,它们分布在海拔六千七百一十四米高的冈仁波齐峰圣山的周围。金字塔形状各异和规模之大令人惊叹不已,据粗略统计,它们的高度约为一百米至一千八百米不等,而埃及最大的奇阿普斯金字塔为一百四十六米。整个金字塔群非常古老,因此损坏得很厉害。但是经仔细观察可以弄清金字塔的轮廓,可以清楚地看到它们是石头结构的,有凹面或平面。我们还发现了巨大的石头人体雕塑。因此完全可以有根据地说:在西藏存在着主要由金字塔组成的古建筑群。"

在多个宗教中,冈仁波齐都是首屈一指的神山。

佛教中最著名的山是须弥山,指的就是冈仁波齐。在经典中,

为了雪山的庄严和父母的期望

须弥山是世界之中心，它是由金、银、琉璃和玻璃四宝构成，由七金山七香海及十二部洲围聚而成。

除此以外，冈仁波齐同时也被印度教、西藏原生宗教苯教、古耆那教、拜火教，都认作为世界的中心。

前佛教时代的象雄苯教时期，冈仁波齐被称为"九重万字山"，相传苯教的三百六十位神灵居住在此。苯教祖师敦巴辛绕从天而降，此山为他的降落之处。

在公元前6世纪至公元前5世纪兴起的耆那教中，冈仁波齐被称作"阿什塔婆达"，即最高之山，是耆那教创始人瑞斯哈巴那刹获得解脱的地方。

梵语称这座山为 Kailash，认为这里是世界的中心。

印度教里三位主神中法力最大、地位最高的湿婆，就住在冈仁波齐。

多少年以来，冈仁波齐一直是朝圣者和探险家心目中的神往之地，至今还没有人能够登上这座神山，胆敢触犯这世界的中心。

我将不断地从金字塔出发，然后回到冈仁波齐。在环游世界的过程中，我有幸看到埃及的金字塔、危地马拉密林中玛雅人的金字塔、墨西哥印第安人的金字塔……一般来说，金字塔都具有非常显著的"金"字体态，经过五千多年的风沙洗礼，浑厚的时间，犹如铺天盖地的土黄色幕布，覆盖其上，让这些古老的金字塔，一眼看上去并没有什么特别显著的特征，像巨大的土墩。

青年时代在西藏阿里的经历，让我站在这些举世闻名的金字塔之下时，产生了一种极为特殊的体验。我觉得这些金字塔与我似曾相识，我一定在什么地方看到过它们，亲近过它们，它们和我冥冥之中相约。必定有某种类似脐带样血肉模糊的东西，将我和它们紧紧相连,肌肤相亲。这种感觉最初生发出来的时候,是如此突如其来的怪诞,让我觉得自己愚蠢又可笑。我肯定是第一次到埃及吉萨,第一次到中南美危地马拉,第一次深入到玛雅人的密林中,第一次到墨西哥特奥蒂瓦坎……我在出国旅行之前,从来没有看到过任何一座真正的金字塔。这种相濡以沫的熟悉之感,一定是错觉,如果我没有内科医生和心理学家双重身份,我会怀疑自己不知是受了什么蛊惑,精神发生了某种不正常。

我是一个彻底的唯物主义者,不相信轮回。我知道物质不灭,但我估计自己来世可能会变成一只甲虫或是一枝小麦的一部分,但我不相信自己还会幻化成人,那需要太多的机缘巧合。组成我今生今世的物质,还要如此这般地集合簇拥并黏附起来,顺序要精雕细刻不出差错……这个概率即使有,也是亿万分之一的可能,轮不到我。我的前世可能是一朵流云或是一叶扁舟,但我不会是人。由此可见,我和这些金字塔的似曾相识,只能是今生今世的事情。我这一辈子并不太长久,我还来得及从容梳理一遍,让我想想我在哪里见过你——宏伟的大金字塔!

那一次,是在柬埔寨的吴哥窟。

我第一眼看到吴哥窟的时候,无动于衷。抵达柬埔寨暹粒的傍晚,眺望吴哥,在渐渐暗淡下去的天幕中,建筑的影如同灰蓝的剪纸,轮廓简明扼要,峻拔地显出不甚浓厚的黑色。隔得很远,看不清细部,记得只是惊叹护城河的宽,足有十几丈,堪比明清时代的紫禁城。照此推算下来,这城中官殿的规模也必定令人咋舌。有人问,柬埔寨哪一世的国王住在里面?

好脾气的导游突然不悦了,说,你们中国人为什么总是觉得要有

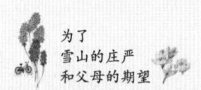

人住在里面呢?

我们都对他的生气感到吃惊，按说这话问得并没有大问题啊？哪里冒犯了呢？

导游很快发现了自己的冲动，缓和了语气说，可能是我没说清楚吧。在柬埔寨的吴哥，你们所看到的所有石头宫殿，都不是给人居住的，国王也不能住的。

人们异口同声问，那谁住在里面？

导游说，神。只有神才配住在石头宫殿里，人只能住在木头房子里，这些都是神殿。最伟大的宫殿，是最伟大的神的住所。就算是我们来参观的人，晚上也一定要离开宫殿，因为神会回来居住。

下午，我们终于走近了吴哥窟，就是出现在柬埔寨国旗上的那组建筑——人们常常用的比喻说它们是一组莲花的蓓蕾。我稍稍变换一下说法，它们如同五支削得不很尖锐的圆头蜡笔，组成一个团队，华丽而肃穆。

五支蜡笔里最粗大的一支，位于组团的正中，被称为小吴哥寺。当我走近它的时候，感到它顷刻射出了无数支带有迷幻药的小箭矢，刺中了我的肉身和心灵，我下意识地不敢动。仰望着它，眼球渐渐充盈起泪水。我要声明，我不是一个印度教或是小乘佛教的信徒，这种情感并不是来自宗教信仰，完全是另外的东西。

这座建筑非常陡峭，高数十米，相当于六七层的楼高。它呈锐利的四边梯形体向上耸立，台阶极其陡峻和细密，每一级的宽度尚不能容纳一脚。由于年代久远，边缘磨损十分严重，台阶上布满了青苔，沿边圆钝滑腻，使游人的攀爬充满了滚落的危险。

我如同木僵，一动不动。导游以为我害怕攀爬的艰苦，说，是特地做成这样的。

我问,什么叫"特地"?

导游说,就是艰难。神是那么容易拜谒的吗?不是。所以你想要看到神,就要手脚并用地爬,你不能漫不经心,那样你就会摔死。

我说,哦。

嘴里应承着,心思还按自己的思绪飞快地漂移。

导游继续说,爬上去其实还比较容易,最可怕的是下来。这样窄的台阶,你不能像下楼梯那样面朝着下方走。如果你那样走,你的屁股就对着神了,那是对神的不敬。所以台阶故意做成这般陡峭,你不能面朝下方走,你只能像爬上去的时候那样,面朝着天空,倒退着下来,这样就始终对神保持了尊敬。

我说,哦。

依旧沉浸在自己的回忆中,心无旁骛。

导游看出我的心不在焉,以为我还是害怕,就说,请你跟我到那边去。

我机械地跟着他走,依旧在想自己的心事。我们绕着这座宏伟的建筑走了半圈,走到一根细细的钢索面前。

这就是爱情天梯,你抓住它,就会很安全了。

绳索是钢制的,说白了,就是一根细细的钢丝绳。它被一些钢制的桩子固定在攀爬的道路上,虽然看起来很单薄,还是让登攀的人有所依傍,让青苔覆地的缩窄台阶,变得不那么可怕。

柬埔寨是一个内敛的国度,通常不把爱情这样的字眼挂在嘴边,而且,这是神的住所,世俗的温情似乎也不相宜。

导游给我讲了一个先凄清后温暖的故事。

为了雪山的庄严和父母的期望

吴哥的阶梯是出了名的陡峭。如果你从上面往下看,站在离台阶一米远的地方,你就会看不到台阶,因为它几乎是垂直的。当年有一对法国夫妇来这里旅行,妻子下来时在台阶上失足,落下摔死。悲痛的丈夫为了以后不再发生这样的悲剧,捐资修了一道细细的扶手。看似简陋的钢筋,从此给了旅行者极大的庇佑,所以命名为"爱情天梯"。

听完了故事,我对热情的柬埔寨小伙子说,谢谢你!现在,我有勇气爬上这座宫殿了。

他放心地离开,去照料其他的团员。

然而,我始终坐在这座宫殿的基石之下,没有爬上去。

不是因为害怕。我知道这座宫殿很难爬,但我当年在五千米的藏北高原,爬过比任何人工建筑更险峻的冰峰。我相信这种从十几岁就磨炼出来的爬山的童子功,始终像一条忠实的狗跟随着我,不曾须臾离开。这座宫殿对我来说,不是爬不上去,而是——我已经理清了自己的思绪,我知道自己畏惧的是什么了。

你万不能爬!它在模拟一座神圣的山,那就是冈仁波齐。我的心对我耳语。我甚至可以想见,那个设计建造此恢宏建筑的设计师,其实,是没有见过真正的冈仁波齐的,他只是听到过传说。上古时代,路途迢迢万分险阻,能够真正抵达冈仁波齐的人,我相信少之又少。设计师知道——他必定听人描述过,在遥远的西方,有一座大雪山,它的样子就是如此这般模样,高大雄伟,陡峭森严。它伟岸的身躯是四角形的,每一层都呈细密的台阶状腾起。于是设计师按照传说和想象,塑造了这座神仙的庙宇。设计者聪明地把握住了两个特征:一是它的外形,四面棱锥体,近似金字塔。二是它有细密的台阶,陡直巍峨。

这种对冈仁波齐的畏惧之心,不是因宗教而引起,是对大自然的臣服。在阿里的那些年,我无数次领教过大自然的伟力。我觉得凡是不可一世自吹自擂的人,多半是没有在洪荒旷野见过苍莽混沌的天象。城市是容易让人以为人是无所不能的傻地方,只要你在饥寒交迫的时候和大自然亲密相处过,你经历过绝望和万念俱灰,你就再也不敢目空一切。

我不敢爬小吴哥,便在这座冈仁波齐的模拟像四周不停地走着,好似转山。当我把这一番感慨对西藏阿里地区群艺馆的韩新刚老师说时,他愣了一下,然后说,我听一个美国人讲过类似的话,只是他的顺序和你是相反的。

我说,此话怎讲?

韩新刚说,那个美国人是先去的吴哥,当然没有你这么多的感想了。不过,当他到了西藏阿里,第一眼看到冈仁波齐的时候,他说,哎呀,这不是一个放大了无数倍的吴哥吗!

世界各地鳞次栉比的金字塔,最让人不解的其实还不是金字塔令人惊骇的体积,而是——动机。移山填海地修建这一浩大工程,需要一个多么摧枯拉朽的理由啊!

在危地马拉蒂卡尔国家公园,看到玛雅人的金字塔的时候,又是这种高耸的四面体!又是这种细细密密的台阶!又是这种不知道什么用途的宏大建筑!又是艰难的攀爬之路……

我突然悟到了一种神似。

看到我在发呆,当地玛雅人的后裔问我,你在想什么?

我所想的真不是一时半会儿说得清的,看着他长相酷似中国人的面庞,我说,我在这里看到了某种和中国很相似的东西,我不知道这

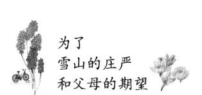

是为什么?!

他说,据说你们和我们这里的东西相似,人们不能解释这种相似,我很想亲眼去看一看,到底像不像呢?

我说,欢迎你啊。

他先是短暂地高兴了一下,然后就满面迷惘地说,只是不知道怎么才能去啊?

我无言。是的,他不知道,我也不知道。危地马拉到中国大陆万里迢迢,又无邦交,他要走一趟,实在不易啊。

在墨西哥又看到了相似的金字塔,又是这种高耸的四面体!又是这种细细密密的台阶!又是这种不知道什么用途的宏大建筑!又是艰难的攀爬之路……

我明白了!终于明白了!说穿了,全世界的金字塔,其实都在刻意模仿一座山,这就是冈底斯的冈仁波齐。只是由于地域的遥远,由于渗透了设计师们的想象,这些金字塔有点些微的差别,比如高度,比如底座的形状,比如顶部的式样……各有千秋。但是,万变不离其宗,它们的基本蓝图只有一张,那就是传说中远在天边的大雪山,它是一座端正的四面棱锥体,呈细密的台阶状升起……

远古的人们,其实比我们想象的更要充满好奇,英姿勃发,对自己赖以居住的大地,饱含生猛的探索精神。他们对山有原始的崇拜,因为站得高可以看得远,从实用的角度来说,一览众山小,可以更早地发现危险,可以更快地逃离野兽和山崩地裂的洪水,可以保护自己。居高临下,可以更有利地占据地形发起攻击……这就是我们喜爱山的一部分理由。当然,爱山还有更深刻的精神诉求,人们对于太阳神的崇拜——只有在山上才能更亲近这个光芒四射的火球。在任何

为了雪山的庄严和父母的期望

一种宗教中，高尚的神祇都居住在万山之巅。

我坚定不移地相信，远在欧洲人发现世界之前的很多年，就有各个民族和种族的人们来到过西藏，来到过冈底斯山。

无数的人寻找着这个星球上的最高峰。青藏高原是世界屋脊，这是被今天的科学测量所证实的，古人也不傻啊，他们走啊走的，终于就走到了这个麇集着世界最高耸的一群山峰的所在地，找到了冈仁波齐。

冈仁波齐，并不是世界第一高峰，海拔只有六千多米，这和海拔八千八百四十八米的世界第一高峰珠穆朗玛相比，差着老大一截子！

这是一个无法跨越的命题。上古人类既然是在苦苦寻找，为什么不找到世界上最高的山峰，而只找到了一个比较高的山峰呢？要知道，在青藏高原上，十几座比冈仁波齐高千米以上的高峰昂然矗立，怎么那时候的古人竟视而不见，选了一个二等身高的山脉，来寄托自己无限崇拜敬仰之情，这到底为了什么呢？

很长一段时间，我也对此百思不得其解。

当我在飞机上飞越珠穆朗玛峰的时候，一刹那恍然大悟。

本以为珠峰会如擎天柱一样傲然挺立，其实珠穆朗玛的外形很普通，一点都不出众。加上珠穆朗玛在群峰包围之中，道路极其艰险，估计远古时代，真正能到达那里的人罕见到几乎没有。人们就把比较容易抵达又光彩夺目的冈仁波齐，选作了世界中心。

说一点大不敬的话，单就外形来讲（和我心仪的冈仁波齐相比），我觉得珠穆朗玛峰不漂亮，有一点犬牙交错的狰狞。它不对称，不平衡，显得不那么高贵，也不够神圣……在众山之中稀松平常。如果把山的容貌做个比较的话，珠穆朗玛最多只能算是中流，只是因为海拔更高,这才让人不得不刮目相看。

如果你亲眼看到冈仁波齐,你不能不叹为观止!你要惊叹大自然的鬼斧神工!它以一种人世间不可企及的雄伟和高傲,屹立在苍穹之间。看到它的时候,你不由得双膝发软,想顶礼膜拜。你可以不信任何神,但你不得不被这大自然的雄奇伟力所折服。你必得崇拜,必得匍匐在地,必得觉出自己的渺小和卑弱,必得要借着和这座伟大山峦的联系,让自己具有更大的勇气和韧力。

记得我在阿里的时候,有一次问道,古往今来,有多少人曾经来朝圣呢?一位老人回答我,今天的人们走在过往人们的脚印上,这脚印已延续了多少年,没有人能说得清。如果脚印能有厚度,摞叠起来,大约可以和雪山比肩了吧?如果脚印有声响和歌声,这千山万壑中,一定鼓乐齐鸣激荡不息。如果脚印有光芒,这里就是第二个太阳栖息的地方。如果脚印化成飞鸟,你将看不到任何一座山峰的影子,它们都会被翅膀所覆盖……

冈底斯山脉主峰,被评为中国最美的、令人震撼的十大名山之一。

我第一次看到冈仁波齐时,并不知所有上述的种种故事,也无先入为主的尊崇,但立即被它的壮美俘获。只见长空碧蓝,我从来没有在世界上的任何地方看到过这种感人泪下的蓝色。天上一定有茂盛的靛草园和挤轧靛草浆汁的工坊,多少桶靛草浆汁才能染就这深不见底的幽蓝,饱含澄澈如水的纯洁!冈仁波齐特立独行,直耸云霄,峰顶如同冰雪王冠。经过长期风化作用而形成的天然台阶,纵贯峰体中央,好像通往云端的悬梯,两侧悬崖绝壁,使整个峰体显得更庄严雄伟,如王者宫殿。浅黄色的朝圣土道上,有人逆时针转动,有人顺

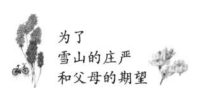

为了
雪山的庄严
和父母的期望

时针转动,那时,我也不知道他们转动的方向为什么有所不同。玛尼石堆如同歇息的旅人,默默无声地陪伴着朝圣的人们。后来我在冰岛的火山荒原看到过类似的石块堆积物,当地人称它为"旅人塔",说是途径的人们一定要为此添砖加瓦(当然所谓的砖瓦,就是不同的石块)。我曾问冰岛当地人:旅人塔除了观赏以外,还有什么实用的价值吗?

冰岛人回答:这是人们在彼此呼应,说明你并不孤独。如果你迷失了方向,它会为你指引道路……

世界上的人们尽管相隔遥远,却时不时有很多相同的习俗,提醒我们都是源远流长的同类。被信徒们踏过千年的道路,累积起无穷的能量,形成以冈仁波齐为靶心的磁场,凝聚着人们心中的美好愿望……冈底斯就这样变成了一种文化的载体,吮吸远古的混沌与智慧,反射着今人的梦想与祈望。

据说,转山的时候,如果你是有福之人,在冈仁波齐朝圣时,能听到峰顶圣乐宫中的罗汉敲击磐木板的声音。

我有幸和一位乘坐直升机飞越冈仁波齐峰顶的人交谈。

飞越圣山,你可有什么感觉?

没有什么特殊的感觉。那一天,天高云淡,十分平稳。

可曾看到什么?我问。

你指的是什么?他一时没有明白我的意思。

我指的是……我一时语塞。停顿了一会儿,我说,奇异的景象。比如,宫殿,神仙,还有仙草什么的。

他笑了。作为一名现役军人,他觉得我很幼稚。出于礼貌,他还是耐心地回答我:没有宫殿,没有佛祖;没有仙人,没有湿婆。

为了雪山的庄严和父母的期望

没有仙草，没有神鸟……除了冰雪，什么也没有。哦，裸露的地方，有岩石……

我还不死心，又问，有没有外星人遗留下来的发射塔或是类似的机械装置呢。

没有，什么都没有，除了冰雪和岩石……他非常简洁而肯定地又一次重复回答。

这就是冈仁波齐的真相。我依然不希望任何人攀爬冈仁波齐，它依旧保有世界中心的桂冠。这不是因为现代人的迷惘，而是为了维护先民们最淳朴的解释，敬畏他们付出的艰辛和最淳朴的情感。也为了我们的心底，永留一块仰望苍穹的圣地。在这里，天堂距你盈盈一握。

所有燃烧发光的生命，都来自祥和温暖之心。

此地就是你静思和与上天沟通的妥帖之处。

冻顶百合

世界上有没有冻顶百合这种花呢？在我写这篇文章之前是没有的，虽然它很容易引起一种关于晶莹香花的联想，但其实是一个拼凑起来的蹩脚词语。

那一年到台湾访问，因为没有直航，在香港转机一路颠沛。清晨出发，抵达台湾土地时，已是深夜，待办完了手续真正踩到街面，已为第二天黎明前最黑暗的时刻。

那是我第一次见到活生生的青天白日旗，低垂在挂着"市党部"招牌的房檐下。一时很有些恍惚，感觉自己闯入了讲述过去年代某个地下工作者宁死不屈的电影场景里。

这种不真实感，被时间一丝丝消弭在同宗、同族、同文化的血缘归属中。台湾作家为我们安排了丰富多彩的观光旅游项目，其中当然少不了阿里山、日月潭这些经典的风光所在。

记得那天去台湾岛内第一高峰的玉山。随着公路盘旋，山势渐渐增高。随行的一位当地女作家不断向我介绍沿路风景，时不时插入"玉山可真美啊"的感叹。

玉山诚然美，我却无法附和。对于山，实在是"曾经沧海难为水"啊！十几岁时，当我还未曾见过中国五岳当中的任何一岳，爬过

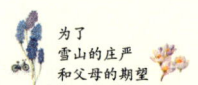

的山峰只限于北京近郊五百多米高的香山时，就在猝不及防中，被甩到了世界最宏大山系的祖籍——青藏高原，一住十几年，直到红颜老去。

　　青藏高原是万山之父啊！它在给予我无数磨炼的同时，也附赠一个怪毛病——对山的麻木。从此，不单五岳无法令我惊奇，就连漓江的秀美独柱、阿尔卑斯的皑皑雪岭，对不起，一概坐怀不乱。我已经在少女时代就把惊骇和称誉献给了藏北，我就无法赞美世界上除了冈底斯山、喀喇昆仑山、喜马拉雅山以外的任何一座峰峦。朋友，请原谅我心如止水。由于没有恰如其分的回应，女作家也悄了声。山势越来越高了，蜿蜒公路旁突然出现了密集的房屋和人群，也许是为了挽救刚才的索然，我夸张地显示好奇，这些人要干什么？

　　这回轮到当地女作家淡然了，说，卖茶。

　　我来了兴趣，继续问，什么茶？

　　女作家更淡然了，说，冻顶乌龙。

　　我猜疑她的淡然可能是对我的小小惩罚，很想弥补刚才对玉山的不恭，马上兴致勃勃地说，冻顶乌龙可是台湾的名产啊！前些年，大陆很有些人以能喝到台湾正宗的冻顶乌龙为时髦呢！说着，我拿出手袋，预备下车去买冻顶乌龙。

　　女作家看着我，叹了一口气说，就是爱喝冻顶乌龙的人，才给玉山带来了莫大的危险。她面色忧郁，目光暗淡，和刚才夸赞玉山风景时判若两人。

　　为什么呀？我大惑不解。

　　她拉住我的手说，拜托了，你不要去买冻顶乌龙。你喜欢台湾茶，下了山，我会送你别的品种。

冻顶乌龙为何这般神秘？我疑窦丛生。

女作家说，台湾的纬度低，通常不下雪也不结霜。玉山峰顶，由于海拔高，有时会落雪挂霜，台湾话就称其"冻顶"。乌龙本是寻常半发酵茶的一种，整个台湾都有出产，但标上了"冻顶"，就说明这茶来自高山。云雾缭绕，人迹罕至，泉水清冽，日照时短，茶品自然上乘。

冻顶乌龙可卖高价，很多农民就毁了森林改种茶苗。天然的植被遭到破坏，水土流失。茶苗需要灭虫和施肥，高山之巅的清清水源也受到了污染。人们知道这些改变对于玉山是灾难性的，但在利益和金钱的驱动下，冻顶茶园的栽培面积还是越来越大。我没有别的法子爱护玉山，只有从此拒喝冻顶乌龙。

女作家忧心忡忡的一席话，不但让我当时没有买一两茶，而且时到今日，我再也没有喝过一口冻顶乌龙。在茶楼，如果哪位朋友要喝这茶，我就把台湾女作家的话学给他听，他也就改换门庭了。

又一年，我到西北出差，主人设宴招待。我得知身边坐着的先生是植物学博士，赶紧讨教，说我乡下的院子里有一棵苹果树，很多年了，却从不结苹果。

苹果树的树龄多大呢？他很认真地询问。

不知道。它是被我捡回家的，因为修公路，它就被人从果园连根刨起，几乎所有的枝丫都被人锯走当了柴火。我发现它的时候，它的根系干燥得只剩下拳头大的一小窝，完全是根烧火棒的模样。我把它栽到院子里浇上水，没想到几个月后，它长出了绿色旗帜一般的新叶……我说。

植物的生命力比我们所有的想象都要顽强，只要你尊重它。植

为了雪山的庄严和父母的期望

物学博士说。

可是,它为什么不结苹果呢?它会记人类的仇吗?它是否需要漫长的休养生息?我问。

植物是不会记仇的,它们比人类要宽宏大量得多。按照你说的时间计算,它该恢复过来了,可以挂果了。最大的失误可能是没有授粉,你的苹果树太孤独了……植物学博士谆谆教诲。

我说,明年春天,我是向老乡讨来另一树上的花枝,向我家的苹果树示爱,还是再栽一株新的苹果树呢?侍者端上了一道新菜,报出菜名"蜜盏金菊"。

纷披的金黄色菊花瓣婀娜多姿,奶油、蜂糖和矢车菊的混合芬芳,撩动着我们的眼睫毛和鼻翼,共同化作口中的津液。

吃吧吃吧,这道菜是要趁热吃的,凉了就拔不出丝了。主人力劝,大家纷纷举筷,遂赞不绝口。活灵活现的菊花花瓣像千手观音,厨师好手艺啊!

植物学博士面色冷峻,一口未尝。多年当医生的经验让我爱多管闲事,一看到谁有异常之举就怀疑病痛在身。菜很甜,我悄声问,您不爱吃糖?

没想到,他大声回答,我不吃这道菜,并不是有糖尿病,我很健康。

我一时发窘,不知道他为什么义愤填膺。植物学博士继续义正词严地宣布道,菊花瓣纤弱易脆,根本经不起烈火滚油,这些酷似菊花的花瓣,是用百合的根茎雕刻而成的。

大家说,想不到你在植物学之外,对厨艺还有这般研究,一定是常常下厨吧?

博士仍是一脸的冰霜,说,对,我是常常下厨房,请厨师们不要再用百合了,但是,没有人听我的,所以,我只有不吃百合。

餐桌上的气氛陡然肃穆起来。为什么?异口同声。

博士说,百合花非常美丽,特别是一种豹纹百合,更是花中极品,象征着安宁、和谐、幸福。

我失声道,难道我们今天吃的就是插在花瓶中无比灿烂的百合吗?

博士道,豹纹百合和菜百合不是同一个品种,但属于一个大家庭,餐桌上吃的是百合的球茎。这几年,由于百合的食用和药用价值,人们对它的需求越来越大,越来越多的农民开始种百合。百合这种植物,是植物中的山羊。

大家实在没法把娇美的百合和攀爬的山羊统一起来,充满疑虑地看着博士。

博士说,山羊在山上走过,会啃光植被,连苔藓都不放过。所以,很多国家严格限制山羊的数量,因此羊绒在世界上才那样昂贵。百合也须生长在山坡疏松干燥的土壤里,要将其他植物锄净,周围没有大树遮挡……几年之后,土壤沙化,农民开辟新区种植百合。百合虽好,土地却飞沙走石。

那一天,那一桌的那盘美妙的蜜盏金菊,只被人动了几筷子,那是在植物学博士还没有讲百合就是山羊之前,嘴馋的人先下的手。

从此,我家的花瓶里再没有插过百合,不管是西伯利亚的铁百合还是云南的豹纹百合。在餐馆吃饭,我再也没有点过"西芹夏果炒百合"这道菜。在菜市场,我再也没有买过西北出的保鲜百合,那些洗得白白净净的百合头挤压在真空袋子里,好像一些婴儿高举的

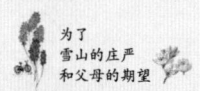

拳头，在呼喊着什么。

一个人的力量何其微小啊！我甚至不相信，这几年中，由于我的不吃不喝不买，台湾玉山阿里山上会少种一寸茶苗，西北的坡地上会少开一朵百合，会少沙化一抔黄土。

然而很多人的努力聚集起来，情况也许会有不同。我在巴黎最繁华的服装商店闲逛，见到地下室里很多皮衣在打折贱卖，价格便宜到你以为商家少写了几个零。我因惊讶而驻足，同行的朋友以为我图便宜想买，赶紧扯我离开，小声说，千万别买！在这里，穿动物皮毛是"野蛮人"的代名词。

努力，也许就会有不可思议的力量出现。墙倒众人推一直是个贬义词，但一堵很厚重的墙要轰然倒下，是一定要借众人之手的。

我没有向我家的苹果树摇动另外的花枝，也没有栽下另外一棵苹果树，在长久的等待之后，它无声无息地结出了几个苹果，其味巨甜。

带上灵魂去旅行

人的知识永远是不完备的,他无法知道一个地区或是一个时代,是否就是空间和时间的全部。在这个意义上讲,我们每个人都是井底之蛙,所不同的只是栖息的这口井的直径大小而已。每个人也都是可怜的夏虫,不可语冰,于是,我们天生需要旅行。生为夏虫是我们的宿命,但不是我们的过错。在夏虫短暂的生涯中,我们可以和命运做一个商量,尽可能地把这口井掘得口径大一些,把时间和地理的尺度拉得伸展一些。就算终于不可能看到冰,夏虫也力所能及地面对无瑕的水和渐渐刺骨的秋风,想象一下冰的透明清澈与痛彻心肺的寒冻。

旅行,首先是一场体能的马拉松,你需要提前做很多准备。先说说身体方面。依我片面的经验,旅行的要紧物件有三种。第一,当然是时间。人们常常以为旅行最重要的前提是钱,于是就把攒钱当成旅行的先决条件。其实,没有钱或是只有少量的钱,也可以旅行。关于这一点,只要你耐心搜集,就会找到很多省钱的秘籍。如果把一个人比作一辆车,驱动我们前行的汽油,并不是金钱,而是时间。这个道理极其简单,你的时间消耗完了,你任何事都干不成了,还奢谈什么呢?或者说,那时的旅行只有一个方向,就是地心了。

为了雪山的庄严和父母的期望

第二桩物件，是放下忧愁。忧愁是旅行的致命杀手，人无远虑，乃可出行。忧愁是有分量的，一两忧愁可以化作万朵秤砣，绊得你跌跌撞撞鼻青脸肿。最常见的忧愁来自这样的思维：把这笔旅游的钱省下来可以买多少斤米多少缕菜，过多长时间丰衣足食的家常日子。将满足口腹之欲的时间当作计量单位，是曾经有用现在却不必坚守的习惯。很多中国人一遇到新奇又需要破费的事儿，马上把它折算成米面开销，用粮食做万变不离其宗的度量衡。积谷防饥本是美德，可什么事都提到危及生命安全的高度来考虑，活着就成了负担。谁若一意孤行去旅行，就咒你将来基本的生存都要打折，食不果腹衣不蔽体流落街头……

别怪我说得凄惶，如果你打算做一次比较破费的旅行，你一定会听到这一类的谆谆告诫，迅疾地把诸事折合成大米的计算公式，来自温饱没有满足的农耕时代遗留下来的精神创伤。如果你一定要把所有的钱，都攒起来用于防患于未然，这是你的自由，别人无法干涉。可你要明白，身体的生理机能满足之后，就不必一味地再纠结于脏腑。总是由着身体自言自语地说那些饥饱的事儿，你就灭掉了自己去看世界的可能性，一辈子只能在肚子划出的半径中度过。这样的人生，在温饱还没有解决的往昔，是不得已而为之，甚至可能成为能优先活下来的王牌。在今天，就有时过境迁过于迂腐之感了。

第三桩事儿，是活在身体的此时此刻。此话怎讲？当下身体不错，就可以出发，抬腿走就是，不必终日琢磨以后心力衰竭的呕血和罹患癌症的剧痛。我琢磨着自己还有能力挣出些许以后治病的费用，我相信国家的社会保障机制会越来越好。我捏捏自己的胳膊腿，觉得它们尚能禁得住摔打，目前爬高上梯风餐露宿不在话下。若我以后真是得了多少万人民币也医不好的重症，从容赴死就是了，临死前想想自己身手矫健耳聪目明时，也曾有过一番随心所欲的游历，奄奄一息时的情绪，也许是自豪。

我是渐渐老迈的汽车，油料所剩已然不多。我要精打细算，小心翼翼地驱动它赶路。生命本是宇宙中的一瓣微薄的睡莲，终有偃旗息鼓闭合的那一天。在这之前，我一定要抓紧时间，去看看这四野无序的大地，去会一会英辈们残留下的伟绩和废墟。

终于决定迈开脚步了，很多人有个习惯，出远门之前，先拿出纸笔，把自己要带的东西都一一列出。旅游秘籍中，传授这种清单的俯仰皆是。到寒带，你要带上皮手套雪地靴，到热带，你要带上防晒霜太阳镜驱蚊油。就算是不寒不热的福地，你也要带上手电筒黄连素加上使领馆的电话号码……

所有这些，都十分必要。可有一样东西，无论你到哪里，都不可须臾离开，那就是——你可记得带上自己的灵魂？

据说古老的印第安人有个习惯，当他们的身体移动得太快的时候，会停下脚步，安营扎寨，耐心等待自己的灵魂前来追赶。有人说是三天一停，有人说是七天一停，总之，人不能一味地走下去，要驻扎在行程的空隙中，和灵魂会合。灵魂似乎是个身负重担或是手脚不利落的弱者，慢吞吞地经常掉队，你走得快了，它就跟不上趟。我觉得此说法最有意义的部分，是证明在旅行中，我们的身体和灵魂是不同步的，是分离分裂的。而一次绝佳的旅行，自然是身体和灵魂高度协调一致，生死相依。

好的旅行应该如同呼吸一样自然，旅行的本质是学习，而学习是人类的本能。身为医生，我知道人一生必得不断地学习。我不当医生了，这个习惯却如同得过天花，在心中留下斑驳的痕迹。旅行让

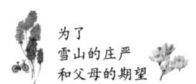
为了雪山的庄严和父母的期望

我知道在我之前活过的那些人,他们可曾想到过什么做过什么。旅行也让我知道,在我没有降生的那些岁月,大自然盛大的恩典和严酷的惩罚。旅行中我知道了人不可以骄傲,天地何其寂寥,峰峦何其高耸,海洋何其阔大。旅行中我也知晓了死亡原不必悲伤,因为你其实并没有消失,只不过以另外的方式循环往复。

凡此种种,都不是单纯的身体移动就能够解决问题的,只能留给旅行中的灵魂来做完功课。出发时,悄声提醒,背囊里务必记得安放下你的灵魂。它轻到没有一丝分量,也不占一寸地方,但重要性远胜过 GPS。饥饿时是你的面包,危机时助你涉险过关。你欢歌笑语时,它也无声扮出欢颜。你捶胸顿足时,它也滴泪悲愤……灵魂就算不能像烛火一样照耀着我们的行程,起码也要同甘共苦地跟在后面,不离不弃,不能干三天停一天地磨洋工,否则,我们就是一具飘飘荡荡的躯壳在蹒跚,敲一敲,发出空洞的回音,仿佛千年前枯萎的胡杨。

抱着你，我走过安西

那一年我到甘肃敦煌。从兰州坐汽车，在戈壁滩上跋涉千里。一日午后，经过安西。白茫茫的沙海反射着耀眼的阳光，远处矗立着从地面直通云端的黑色风柱，旋转着向我们逶迤而来——那是沙暴……

我突然感到一种莫名其妙的亲切。眼前这干燥的黄土，盘旋的热风，死一般的寂静，还有渐渐旋近的危险……

我可能在梦中到过这个地方。我对自己这样说。

半个月后，我回到家，同父母说起安西的遥远。我夸张地描述那里的荒凉，说，你们无法想象那里的神秘。

妈妈很注意地听我聊天。自从我长大，到了许多她不曾到过的地方以后，在我描述远方的时候，她总是像个小学生一样专心地看着我，那神气不单是从我这里得到新的见闻，而是在用整个姿势说：看！我的女儿去了我没有去过的地方！

猜测到了母亲这种心情以后，我常常投其所好。我得意地说，妈妈，您到过安西吗？

没想到妈妈非常肯定地回答，三十多年前，抱着你，我走过安西。

为了雪山的庄严和父母的期望

我回过头去看爸爸。我不是不相信妈妈,我是需要再一次地证明。

爸爸说,是的,那时你才五个月。

我的父母不喜欢忆旧,总是对将来发生的事充满了希望,觉得最后的才是最好的。

谈话无端地中断了。我们总以为还有无数的时间储存着,可以从容地回忆以前。但是突然,我的父亲患了重病。在那种气氛下,是不能忆旧的。我们相信父亲会好起来,我们觉得做那种回忆的事情,会在冥冥中对父亲的康复有背道而驰的力量。

我们格外地避讳谈过去的事情,我们以为这样就可以对抗那种叫作命运的东西。

我们错了。父亲离我们远去。痛定思痛之后,我才发现,有关父亲的往事,我们知道得是那么少。懂得自己的父母是一个需要时间的过程,我们不可太年轻,那样我们只能记得他们的慈爱,无法深刻地洞悉他们的内心。我们也不可太年长,那时岁月的烽烟已将我们熏染,无数次默念中将父母重新塑造,已不再具有原始的亲切。

作为女儿,我不知父亲生命中的许多空白。在父亲去世以后,我才知道这是永远无法弥补的黑洞了。

我不想要家谱那样的东西,那是公共的枯燥的记录,我想看到我的祖先对他们生活血肉温暖的倾诉。

我已寻觅不到我的父亲了,于是我用双份的爱恋和探索的目光,注视着我的母亲。

母亲是一个穷人家的女儿,年轻时十分美丽。我小的时候,尽管她对我发着脾气,面色很难看,但在我看来,她依旧是美丽的。这甚至影响了我一生中对女子的审美观,我一直以为像我的母亲那样,白皙端庄不高不矮不胖不瘦的女人,才是世上最完美的女性。

我的父母是山东文登人,很小就定了亲。爷爷家的村庄很小,只有一所初级小学。父亲读高年级的时候,要到母亲所在的村子里读书。每逢放学的时候,和母亲一起玩的小伙伴就嚷:快看小英子的女婿啊,他下学了。

母亲小名叫英子。她远远地看着父亲——一个眉毛黑黑的高大男孩。

父亲在威海读了中学后,参军到了山东抗日军政大学,以后到了一野,解放战争中转战南北,跟随王震将军,一直打到了新疆的伊宁。

这座中国西北长满白杨的城市,距我父母的家乡,大概有一万里路。

1951年,我的父亲来了一封信,要我的母亲赶快到新疆与他团聚。那一年,母亲刚满二十岁。

父亲后来说,当时王震将军已经开始在内地广招女兵,他作为一个年轻的军官,时常被人问及婚姻。他记着母亲,所以邀母亲前去。但那时的新疆,遥远得如同今日的北极,都是罪犯流放之地。他征询母亲的意见,由母亲做出她对自己命运的选择。

母亲是可以不去的。

但是母亲深深记挂着那个有浓黑眉毛的男子。她把家里的门帘摘下来,洗净叠好,放在炕上,好像是去串亲戚,不久就会回来。把自己的换洗衣服装进一个小包袱,带着烧饼和姥爷卖了粮食凑的几

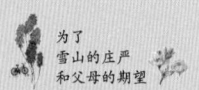

块钱,踏上了未知的道路。

母亲先到了烟台,然后坐船到青岛。她从没出过远门,又晕船,坐的是轮船在水面以下的那个统舱,吐得日月无光。

但是青岛的风景使她把旅途的艰辛淡忘,凭着父亲开出的介绍信,母亲和几位到新疆寻夫的女人会合在一处。有一个女人的老父亲是个地主,农村的形势使他感到某种危险,所以和女儿一起远走新疆。他有文化而且有头脑,母亲就把介绍信交给他,由他一路安排食宿。

母亲离开家乡的日子是 1951 年农历的二月初二,龙抬头的日子,其后的旅行在母亲的记忆里就变得模糊而迷茫。地上一辆又一辆的汽车和火车,到达西安以后,又开始坐马车。他们这一伙老人和妇女每天住在负责接待的兵站里,像真正的军人一样大碗盛菜,馒头管够。

母亲刚开始想,当兵在外原是这样的舒服啊!但随着行程越来越向西,景色越来越荒凉,母亲才感到父亲一个人在外,真是够可怜的。

沿途晓行夜宿,母亲已和同行的人十分熟悉。突然有一天,那老人说,现在已经到了新疆的界面,她们几个的亲人在南疆,而我的父亲在北疆。以天山为界,前面就是分手的地方。母亲将独自完成剩余的几千里路程。

那一瞬,母亲感到了极大的恐慌,甚至比从家乡出走时还要恐慌。那时她不知道旅途的艰难,幸好找到了同伴。现在她知道以后的路程更加莫测,征途迢迢,却要独自跋涉。

但这是无法接受的事情。老人对母亲说,你的男人做的官比她们的都大，你会有好日子过的。路上的事你不是都见识过了吗？没有我，你也一样能对付得了。

他们坐着新疆特有的勒勒车，向南方的沙漠中走去。妈妈默默地注视着他们，充满惆怅。在以后的岁月里，再也没有得到他们的音信。

1951年的5月，历尽风霜的母亲到达了新疆的乌鲁木齐。她被告知父亲在伊宁率领部队执行任务，一时没有汽车到那里去，只有等。

母亲就在乌鲁木齐等了整整一个月。那是一段十分痛苦的等待，母亲什么人都不认识，一个人到街上去转，语言又不通。母亲想，一定不能死在这里，不然变成鬼魂，也找不到人说话。后来总算有了一辆老掉牙的车，要到伊宁去，母亲迫不及待地爬上车，一路颠簸，终于在离开家乡五个月以后，到达伊宁。

母亲坐在父亲的团部里，有人去喊父亲……

我以为这种阔别多年的会面一定非常激动，没想到母亲淡淡地说，她看到父亲时只有一个感觉就是——他长大了。

我也问过父亲同样的问题，您见到母亲的第一印象是什么？父亲说，当然是高兴啊，你妈妈胆子够大的。要是别的人，不会跑这么远来找我。咱们老家那地方的人，是很恋家的。

母亲在父亲的团里住了下来。那时候，部队很艰苦，领导干部的家眷平日也都住在集体宿舍里。只有到了星期天，才让夫妇团聚。办法是在大礼堂里用白布单分割出许多单间，女人们先把自己的被褥铺好，熄了灯以后，男人们才无声地钻进自己的家。母亲说，黑灯瞎火的，有的男人曾经摸错过门。

为了雪山的庄严和父母的期望

我就是孕育于这样的环境。

由于水土不服,母亲的身体变得很坏。她在卫生队当了一段时间护士以后,就再也支撑不了了,天天躺在床上。有一次她下床的时候,晕倒在地,头撞在脸盆架上,血把肥皂盒都灌满了。

母亲说,从我一出现,就同她作对,害得她一点东西也吃不了,最后变得骨瘦如柴。她甚至想自己可能要死在这个叫作伊宁的地方了,这是她第一次后悔到新疆来寻找我的父亲。

正是母亲最困难的时候,上级命令父亲带着他的队伍出征。母亲看着父亲,什么话也没有说。因为她知道,说什么话也不能改变父亲执行命令的决心。她只是仔细地盯着父亲,要把他的形象深深地刻在自己的脑子里。她想,等他回来的时候,自己可能已经不在这个世界上了。

父亲也是什么也没说,他只是留下了一个警卫员照顾我的母亲。

这是一个老兵,足有四十多岁了。当母亲第一次对我描述他的时候,我说,妈,您肯定记错了。哪有那么老的兵?这个年纪可以当将军了。妈妈说他真的只是一个兵,是从国民党队伍里解放过来的,个子矮矮的,脸圆圆的,一笑一眯眼,很和善的样子。

父亲在众多的战士里挑选了这个老兵,是他一生最英明的决定之一。如果不是这个有经验的男人细心照料,我母亲和我的生命将遭遇巨大的风险。

妈妈一天什么也不吃,不是她娇气,而是她的胃成心和她作对。无论她吃进什么,胃都毫无例外地翻滚,把东西吐出来。

妈妈被边塞的风吹得欲哭无泪,在1952年伊犁河畔的一座土屋里。父亲在远方率领着他的部队征战,绝不能回来照料自己的妻子。

母亲无怨无悔地躺在床上,她甚至都停止思维了,只是在等待,等待她必然的命运。

这时候她闻到了一种奇异的香味,她觉得自己从小到大没有闻到过这么诱人的味道。

小胖子,你吃什么呢?母亲问。

她其实只是一个二十岁的少妇,那个老兵的年纪快有她的父亲大了。但是部队里都这样称呼那个老兵,大家都习惯了,她只能服从风俗。

小胖子走进来,黑色大土碗里,装着嶙峋精致的骨头和肉。

这是什么?妈妈问。

这是野鸽子的肉。

哪里来的?

我逮的。

让我尝尝好吗?

好。

小胖子把碗递给我妈妈,妈妈把野鸽子肉一口气吃完了,然后他们就安安静静地等待着。以往也有这种情形,妈妈把东西吃进去,但是很快就吐了出来。不是妈妈要吐,是她身体里一种莫名其妙的力量要这样捣乱。

决定吐不吐东西的是你。妈妈对我说。

我无言以对,那时的事情我真是不记得。

等待的结果不是吐,是妈妈又饿了——她还想吃野鸽子的肉。

小胖子高兴极了,他正为如何完成自己的任务大发其愁。要是我的母亲死了,他会像失守了一座阵地一样自责的。但他不知怎样

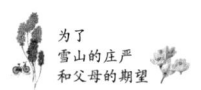

劝一个吃不下东西的孕妇,他想出的唯一办法是——把周围能找得到的一切生物拿来烧了吃,他是一个四川人,还是很会吃的。

他吃了一样又一样,我的母亲总是无动于衷。但小胖子不气馁,继续试验下去。当他试到把野外捕来的野鸽子烧了吃的时候,我的母亲终于焕发了食欲。

在怀你的十个月当中,我只吃了不到十斤米。母亲说。

我说,妈妈您一定是记错了。一个孕妇,只吃这么少的粮食,自己和婴儿都要陷入重度的营养不良。

母亲说,怎么会记错呢?大米是你父亲留下的,当时要算是特殊待遇了,由小胖子保管。我每次都劝他一道喝稀饭,因为四川人是爱吃大米的。他总是说,只有十斤,还是省着吃吧。这样一直到了生你的时候,米还没有吃完。

我说,我生下来的时候一定满面菜色。

妈妈说,孩子你错了,生你的时候是在一家苏联医院,你红光满面,健康无比。

我说,妈妈,这是怎么一回事?

妈妈说,那都是野鸽子肉的功劳啊。

从那天以后,小胖子总是黎明即起。在伊犁河谷地上有一座废旧的仓库,小胖子把仓库所有的窗户都打开,在地上撒满苞谷粒。然后他就埋伏在远处,目光炯炯地注视着飞翔的野鸽子群。野鸽子们先是在天空盘旋,待嗅到新鲜苞谷的香气,一个个钻进幽暗的谷仓。它们在窗台上踌躇着,判断有无危险。

小胖子在远处镇静地等待着,不慌不忙。

野鸽子就大着胆子飞进谷仓,降落在地面上,仔细地拣食金色的谷粒。它们发出咕咕的友善的叫声,把大量的同伴吸引过来。

小胖子有足够的耐心,他要到傍晚时分才开始动作。拎着一把大扫帚,蹑手蹑脚地进了谷仓。野鸽子腾飞带起的烟尘眯了他的双眼,但剩下的活他熟门熟路,就是闭着眼睛也是干得了的。他急速地奔到窗户跟前,把破旧的窗户死死关住。

谷仓立时昏暗起来,小胖子挥动大扫帚,上下飞舞,像哪吒的风火轮。野鸽子惊恐地飞翔着,但门窗已被堵死,扫帚像乌云般地扑下来,野鸽子无力地降落在地上……

小胖子把野鸽子捉住,把它们炖在从苏联买回的铝锅里,和我的母亲吃得津津有味。

我问母亲,您一共吃过多少只野鸽子?这可是杀生。

妈妈说,那不是我要吃,是你要吃。要不然,为什么吃什么都吐,唯有吃野鸽子就不吐了呢?整个怀你的期间,我吃了三千多只野鸽子吧。

我吓了一大跳说,您准是记错了。

妈妈很严肃地说,我每天最少要吃十几只野鸽子,两百多天算下来,你说是多少只吧?

于是我暗暗地向造就我生命的这三千多只野鸽子道歉和祈祷。它们用血肉之躯构成了我的大脑、骨骼、牙齿和黑发,它们把飞翔的灵魂赋予了我,它们把从伊犁河谷的紫苜蓿、红柳花、蒲公英、草籽中吸取的大地精华馈赠于我。我若是一生的努力还抵不过一只小鸟飞越蓝天时的勇敢,真是暴殄天物。

妈妈渐渐地康复,终于到了 1952 年 10 月。中秋节过后,住进了苏联人开的医院。阵痛席卷了她三天三夜,父亲还在远方操练他

为了雪山的庄严和父母的期望

的部队。有人把妈妈难产的消息飞报父亲,他到医院里来了一趟。苏联医生的制度很严,他只能隔着窗户看一眼妈妈。父亲当时满脸悲怆,注视着这个跨越了万水千山来找他的老乡……但是他不能停留,立即又骑马赶回了几百公里之外的部队。

妈妈记住了父亲那张悲戚紧张的脸,她很感动。她的一生紧紧同这个人相连,在一个女人最危急的时刻,他不能帮助她,但给了她深深的关切,这就足够了。

我是在正午十二时出生的。母亲说,她几乎在我出生的同一分钟就睡着了。几天几夜没合眼,疲倦至极。护士捅醒她,让她看一眼初生的婴儿。母亲说,看到我的第一眼,惊讶我的眉毛那样像我的父亲,浓黑地皱着,好像在思考什么重大的问题,之后她便深沉地睡着了。

母亲远离家人,没人照料她。胖胖的苏联看护大娘端来鲜红的西瓜,示意她吃。我出生在晚秋,这在内地已经是没有西瓜吃的季节,但在新疆正是瓜果飘香的季节。因为出了很多血,母亲口渴万分。但是她没有吃那诱人的西瓜,想起在老家,人们说月婆子是不能吃凉东西的。而且她还有说不出口的原因,生孩子的时候,一直咬紧牙关,满口的牙齿都松动了,无法咀嚼……

妈妈抱我回了凄清的部队。由于孩子不停地哭,不能再住集体宿舍了,母亲住进一间泥做的小屋。在新疆有许多这样的小屋,屋顶平平,墙壁裂缝,看得出是用湿泥堆积而成,在某个角落还留着施工者当年的手印。你常常觉得它随时都会倒塌,其实它可以在风雨中屹立多年,比人要活得长久得多。

小屋远离人群,母亲抱着我,度过一个个漫漫长夜。孤独地听着呼啸的塞风,她不敢熄灯,面对如豆的灯火直到天明。清晨别人问她,是不是小女儿很难带?她说,没有啊。人家说,那为什么夜夜灯火通明?妈妈不好意思承认自己害怕,就把罪名推到我身上,改口说,是啊,女儿很爱哭。

当我三个月的时候,父亲回来了。这是他第一次见到我,也很惊讶我是那么像他(其实我远没有我的父亲英俊,我先生同我相识以后,曾说过,你的父母都那么出类拔萃,可惜了你们这些孩子,居然没有一个像他们的)。父亲对母亲说,准备好,我们要走了。

母亲默默地准备行囊,她已经习惯了父亲的漂泊,甚至都没有问这次是到哪里去。倒是父亲自己忍不住了,说,你猜我们是到哪儿?上北京!

当时正是1953年年初,组建军委,从各大军区选调年轻的团职干部充实总部,父亲恰在其中。

母亲并没有表示太多的欣喜和惊讶,她一切听从父亲。只是在具体办调动的时候,遇到了一点意外。当时母亲的军籍已经报上去了,正在待批阶段。本来父亲要是稍微催促一下的话,也早就办好了。但因母亲一直得病,以后又是孕育我,父亲总想等到母亲能精干地工作时,再批不迟。现在中央的调令急如星火,上面只有父亲一个人的名字。摆在父母面前的是两条路——要么父亲一个人赶赴北京,母亲等着军籍批下来以后再办调动。要么同行,但母亲是以家属的身份跟随进京。

母亲毫不犹豫地选择了后者,这使她在今后漫长的岁月里付出了高昂的代价,影响了她的整个性格,浓重的阴影甚至渗进了我们的童年。

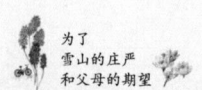

但是1953年年初的母亲是兴致勃勃的,她将随着她终身的依靠,一步步向内地迁徙。她离开父母已经很有一段时间了,她原不知自己何时才能再回家乡,此刻希望就在前面。

我那时只有三个月,携带这样小的孩子跋涉关山将遭遇怎样的困难,母亲估计不足。他们匆忙上路,坐在隆冬时节的汽车大厢板上,开始了历时几个月的颠簸。

妈妈本来以为是可以抱着我坐驾驶室的。一来在爸爸的队伍里,妈妈一直是享受照顾的。再一个原因完全是凑巧——同时调往北京的干部里,有一名家属也带了一个孩子,八个月大。

那孩子比你大了将近半岁啊,可他们不让着我。妈妈在多少年后一想起来,还叹息不止。

我的父亲历来是以忍让为美德的,他反对我的母亲同对方讲理,甚至反对母亲同对方协商出一个方案,每个孩子一天轮流坐在驾驶室里。他只是要母亲忍让,让那个比我的生命历程长了将近三倍的男孩,不受风雨的侵袭,日日享受驾驶室的温暖。

其实就是在那些最颠簸的日子里,留给我的依然是幸福。母亲的怀抱永远是婴儿的海洋与天空,只要有了母亲,我们就永远有太阳。

母亲为了我吃了很多的苦。每逢到了兵站的时候,父亲都不愿让母亲抱着我与众人一起吃饭,怕我一时哭了起来,坏了众人的食欲。母亲就一个人在车上坐着,直到大家都吃完了饭,才独自走向冰冷的饭桌。当然父亲也是身体力行的,他也常常让母亲先去吃饭,自己抱着我,孤守在汽车大厢板上。

我至今对所有人多的场合都心生畏惧,愿意一个人悄悄地躲在类乎大厢板这种寂寞凉爽的地方，挂着下巴出神。我想这一定归功于我的父亲从小不许我上桌吃饭的命令，养成了我躲避喧嚣的习惯。

进京的路线是从新疆伊宁翻越果子沟，到达乌鲁木齐。然后穿过星星峡经哈密出新疆，继续东进，沿河西走廊到达兰州。途中，在安西车坏了。母亲抱着我，徒步走过安西。一路上经过的许多地方，母亲都已忘记。她无暇参观车外的景色，一个三个月的婴儿在她怀中嗷嗷待哺。但她记住了"安西"这个地名，因为父亲对她说，过去的皇帝为了表示边境安宁，中国就有了"安南"、"安东"、"安西"……这些名称。面对着苍茫的大漠和如血的夕阳，母亲抱着她的小婴儿一边跋涉一边想，但愿此生永远不再经过安西。

现在在天上旅行不过几个小时的路程，父母走了几个月。到了1953年的5月，才到达北京。

其后的日子大约是母亲一生中最无忧无虑的时光。父亲作为年轻有为的军人，在总部机关大展宏图。新中国成立初期军人至高无上的地位，使得母亲心满意足。她没有其他的事情，专心致志地生养儿女。这其中有一次调干上工农速成中学然后上大学的机会，母亲毫不犹豫地放弃了，让父亲有一个舒适的家，让儿女们有一个快乐的童年，就是母亲单纯而美好的愿望。

父亲到政治学院深造了。母亲在家抚育着我们。这时已到了1957年，母亲已有了我、妹妹、弟弟三个孩子。她住在部队的大院里，每天穿着剪裁合体的旗袍，领着弟妹款款地散步。家中有保姆做饭，我被送到幼儿园长托，生活静谧而安详。

为了雪山的庄严和父母的期望

开始反右了,机关大院里闹得沸沸扬扬。从学校回来休假的父亲突然看到了几张大字报,说是有些军官的夫人没有工作,每天躲在城里吃闲饭……下面还附了一张长长的名单,母亲的名字赫然在列。

大字报是一个哗众取宠的人所写,所有被点到名的军官们都置若罔闻,但一贯尊严而要强的父亲如坐针毡,他第一次感到因为母亲,在众人面前感到抬不起头来。

吃晚饭的时候,父亲平平静静地说,你带着孩子回乡下去吧。

那一刻母亲惊骇莫名,但她很快就镇定了下来。她一生信服父亲,既然是父亲这样说了,那就是一定应该这样做的了。她默默地接受了父亲的安排,居然没有一丝异议。

第二天早上,母亲穿着单薄的旗袍,雇了一辆三轮车,大清早赶到前门的廊坊头条,排队买了一架缝纫机。她从小绣花,二十岁时出来寻找我的父亲。现在带着三个孩子回到乡下,她不会干农活,只有给人家做衣服,维持生计。

当所有的军官夫人都我行我素地过着和她们以往同样的日子时,我的母亲到办事处转出了我们母子四人的北京户口。对于这种毫无外力胁迫下的自由迁徙,办事员大感不解,一再提醒我的母亲想清楚些,北京户口可是个宝,一出了这个门,你就是哭得眼睛流血,也成不了一个北京人了。

母亲默默地听着她的话,什么也没有说,带着我们的户口回到她的故乡——山东省文登市的一个小村。

父亲甚至没有把我们送回老家,就赶回去上他的学去了。

母亲离开故乡的时候,是一个如花似玉的女孩,那一方水土的人都以母亲为骄傲,对自家的女孩说,要出落得像小英子一样,以后嫁个军官,见大世面,过好日子。现在年近三十的小英子突然很落魄地拉扯着三个孩子回来了,其中我最小的弟弟还不到一岁。

姥姥一家慌忙腾出"门屋子",给我们住。这是一间暗淡的小屋,在大宅院里,是看门的长工住的地方。乡亲们窃窃私语,以为我的父亲一定是犯了天条,或者是我的母亲遭了婚变。

他们狐疑地观察着母亲,母亲对这一切浑然不觉。人们唯一能相信母亲说她在外面日子过得还好的证据是——我们这几个孩子粉团玉琢,不像遭了虐待的模样。

母亲的缝纫机没有派上什么用场,她只会简单地轧线,并不会裁剪,乡下人喜欢的式样她也做不出来,根本没有人找她做衣服。她开始下地劳动,玉米锋利的叶子把她的胳膊划出道道血痕。她毫无怨言,跟着年迈的姥爷学习着一件件农活。

不管大人们如何评价这一次搬迁,它在我心里留下了极为美好的印象。我再也不用穿夹脚的红皮鞋,而可以光着脚在地上跑来跑去。我再也不用喝腥气冲天的炼乳,而可以大嚼特嚼冒着青水的玉米秆,直到把舌头划出一道道血口,但是只见到吐出的渣滓变成粉色,并不觉得疼。中午时分我可以在大太阳底下,用姥爷编的小篮子捡河滩上无穷无尽的鹅卵石,捡满了就把它们倒回河里去。再也不用像在幼儿园那样必须睡午觉,谁要是睡不着,多翻了几个身,生活老师就不给你升小红旗⋯⋯

那一年,我五岁,一个五岁的城里孩子记住的都是快乐。我的妹妹三岁,我的弟弟一岁,所以我相信,要不是经过特别的提醒,他们是一定不记得自己曾经认认真真地做过几个月乡下人的。

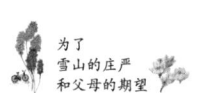

我父亲独自遣返家属的事情,被领导知道,他们要求父亲立即将我们接回。于是在离开北京很短的日子后,妈妈带着我们又回到北京。

新的家比原来的家还要大,还要漂亮。那时的家具都是配发的,所以把自己的被褥铺好后,几乎一切都没有变化,甚至比原来还要舒适。因为我已经过了幼儿园的转园时间,要在家里待几个月,才能进入新的班级,父亲专门为我请了新的保姆。在一段时间里,家里居然有两个保姆,好不热闹。

表面看来,一切都没有变,但是一个最重要的变化已经不可逆转地发生了——我的母亲认识到了世界的严酷。她原来以为父亲就是一切,现在才发现她除了父亲一无所有。

我要去上班,去工作。母亲说。父亲惊讶万分,说,你能干什么呢?母亲已经快三十岁了,她除了绣花,没有做过其他的工作。这些年忙着抚育我们,原有的文化已经淡忘。

别人能做什么,我也能做。母亲说。

但是孩子怎么办呢?父亲问。

找保姆。母亲坚决地说。

父亲是挚爱母亲的,他什么都没有说,开始为母亲联系工作。因为母亲爱绣花,她进了一家工艺美术厂,在铜器上描花。

母亲也许幻想着成为一个工艺美术大师,但她必须从学徒做起,每月的工资是十五元。

家里雇着两个保姆的开销,数倍于母亲的收入,母亲每天除了上班以外,还要参加众多的政治学习,回家时往往是深夜。母亲从来没有经历过这样紧张的奔波,回家后看着我们被保姆带得肮脏不堪,素有洁癖的母亲又挽起袖子亲自为我们洗涤。

这样几个月下来,父亲看着疲惫不堪的母亲和顿失饱满的孩子说,你就不要上班了。这是何苦呢?我又不是养不活你们。

母亲一字一句地说,我再也不想让别人养活了。那个贴大字报的人,不管是什么用心,他让我明白了,一个人要是没有一技之长,说不定什么时候,别人就会操纵你的命运。

从此后,母亲坚忍地过着她的学徒生活,我们几个孩子主要在别人的照料下渐渐长大。父亲繁忙地工作着。大家虽然忙碌,也很快活,直到有一天……

那时我已九岁了,记忆已十分清晰。在一天吃晚饭的时候,父亲突然说,我要回去了。

母亲什么也没问,但是立刻知道了父亲所说的回去,是指返回新疆。

母亲说,吃完饭再说这件事好吗?

吃完饭后的事情,我就不知道了。当我长得比较大以后,才知道,由于中苏边境、中蒙边境形势紧张,要向新疆增派干部。父亲是从新疆调来的,对新疆比较了解,自然是首选。

我们已经守过边疆了,现在该轮着别人去了。母亲无力地说。

跟组织上是不能讲这个话的。父亲说。

妈妈以为原来同我们一同调京的干部,大部分都会回去。没想到真到临行的时候,只有父亲依旧去戍边。

别人为什么都不回去呢?为什么偏偏是我们?母亲不解。

他们都说自己有病。父亲说。

为了雪山的庄严和父母的期望

那你也说自己有病。母亲说。

我没病。父亲说。

当我的父亲后来患一种极罕见缓慢的恶性血液病，离开人间的时候，我在外文资料上看到，父亲所患疾病的病史是长达几十年的。父亲到了新疆之后就多次高烧，现在看来，那就是疾病的早期征兆了。

那些号称有病的军人，至今还在世上。我的健康无比的父亲，已长辞人间。

由于当时边境形势十分紧张，父亲必须立即前往，不得携带家属。于是父亲又一次离开我们母子，一个人奔赴祖国的边疆。

从那以后，我基本上就没有跟我的父亲长久地相处过。他在我的心目中，渐渐地幻化成一个神。当我们做了什么不好的事情的时候，妈妈就会说，要是你爸爸知道了，他会难过的。要是我们做出了什么成绩，妈妈就会说，你爸爸知道了，会高兴的。所以，对我来说，无所不在的父亲，总是在高远的天空俯视着我，犹如上帝的目光。

我觉得在我的父亲离开北京以后，我的母亲才真正地长大。尽管在这以前，她已经有了三个孩子，还经受了一次下乡的锻炼。现在，她一向依傍的肩膀断然离开，在漫长的中蒙边境建设中国铁的边防。三个孩子像蚂蟥一样吸在她的身上，汲取她的力量。

母亲在那个年代留下的照片，明显地呈现出一种断裂。在我的父亲没有离去之前，她是优雅的军官夫人。在这之后，虽然父亲的官职不断升迁，母亲反倒更像一个劳动妇女了。母亲在一家普通的工厂做工，从亲身的经历中，体验到民间的疾苦，对我们的要求更严格了。她终日和平民百姓打交道,变得越来越朴素。

母亲上班的工厂不通汽车,她就从旧货市场买来一辆"生产"牌的自行车,从此每天在路上奔波两小时。她再也不穿优雅的旗袍了,因为她始终没学会骑车的刹闸,遇到危险时只会匆忙跳下,旗袍不方便。她也像普通女工一样中午带菜,我记得她总是把青椒之类很清淡的菜,装进一个小酒盅里,说是这样不容易撒。依家中的情形,妈妈可带好一些的菜,但她很俭省。我后来才明白,她是不愿让别的女工感觉她特殊。冬天她冒着风雪回来后,手冻得像冰坨,弟妹都吵着要她抱抱。母亲总是说,让我在暖气上把手烤热一点再抱你们……

母亲跟着她们工厂的人学着纳鞋底,说要给我做一双布鞋。我一直对母亲的布鞋充满神往,对同学们也吹过不止一次。但是母亲因为忙,这鞋做了好几年。等到鞋底子纳好的时候,我的脚已经长大了,无法再穿这双布鞋。母亲就说,可以改成布凉鞋,反正脚指头能伸到鞋外面,小一点也是可以穿的。我大度地说,那就变成凉鞋好了。但实际穿起来,才知道布底子的凉鞋是很没有优越性的,夏天多雨,一沾水就变得死沉,实在不舒服。

母亲为我们织毛衣(在这以前,我们的毛衣都是买的,十分漂亮),织了很大一片,才发觉掉了一针。母亲就和我商量,说要是拆了重织,浪费很多时间。干脆用针线把那个窟窿补起来,不仔细看是看不出来的。我当然拥护妈妈的合理化建议,而且认为天衣无缝。直到很多年以后,我听女人们议论起毛衣掉了一针,需拆了重织时,我苦口婆心地劝她们只需用针缝起来,她们惊讶得仿佛我是教唆纵火,我这才晓得妈妈当年是如何的因陋就简。

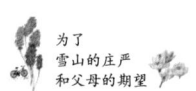

妈妈实在是太忙了。

父亲刚走,我的弟弟就在幼儿园里患了急性黄疸型肝炎。这在那个饥饿的年代,是可以置人于死地的疾病。两岁的弟弟被送到全军的传染病医院隔离治疗,因为我的父亲已经调出这个单位,父亲在时的所有待遇一概取消(我至今认为军队是最铁面无私的地方)。母亲在每一个星期日去赶公共汽车,倒几次车,去远郊看我的弟弟。当然给父亲写了信,但是父亲是不会回来的,在他的心里,国家的事永远比自家的事重要。

后来我的妹妹又得了重病,住进了301医院,要动手术。手术做到一半,医生传出话来,怀疑是癌症。母亲在扩大手术范围的单子上签了名,手术整整做了九个小时。那一年,我的妹妹刚十一岁。

父亲这一次回来了,但是只在家里待了两天,就又坐飞机赶回边防线。母亲几乎习惯了对命运中的突变,单独应战,她已经从那个柔弱的夫人成长为一根顶梁柱。

她每日守着妹妹,带她去烤镭,带她看中医。妹妹成功地从病魔的手里逃脱出来,是母亲再造了妹妹。

但母亲对我们又是很严厉的。自父亲调走以后,我们家的位置起了某种微妙的变化。我们的小学是部队的子弟小学,家长们的爵位就成了砝码。父亲在时,我并不是凭借父亲的职位才获得成绩,但是父亲走了之后,要保住以往的光荣,我们却要付出加倍的努力。

但无论怎样挽救,事情也有不能如意的地方。比如我担任少先队的大队长一职多年,因为我的学习成绩一直比较优秀。有一次,大院里说是学空军,要把孩子们另组织起一支新的队伍,一位成绩不如我的同学成了这个组织的大队长,而我成了一个莫名其妙的楼长。

母亲知道之后,声色俱厉地斥责我,说我骄傲了,退步了,怎么连谁谁都不如了……那次打没打我,我不记得了。但我记得心境非常忧伤,我注视着母亲,心想,妈妈您是真的不懂"人一走茶就凉"的道理吗?我比您小得多,可是我懂。我在心里对她说,妈妈,我已经尽了最大的努力,但我就是比现在做得还要好上十分,这个大院里的大队长也是不会给我当的。那个同学的父亲是主管学校的要人,您忘了吗?

我的父亲出任中蒙边境边防总站的第一任政委,成功地完成了多次边境谈判。在20世纪80年代末期,报纸画报上登出某位现今的领导,是中蒙边境防务的缔造者时,父亲淡淡地说,我当政委的时候,他刚刚入伍。

父亲一生淡泊名利,他永远把家庭置于国家利益之下,母亲为此做出了巨大的牺牲。

"文革"开始,父亲参加"三支两军",制止武斗到了不顾身家性命的地步。母亲实在放心不下,她决定追随父亲到新疆。

母亲又一次经过安西,为了父亲和我,重回荒凉之地。

我参军到了西藏,母亲经常面向她以为是西藏的方向,长久地流泪。

我是长女,母亲对我倾注了更多的爱。我从小就和母亲相依为命,所有的艰难和困厄,我都和母亲一同度过。

我更深刻地认识母亲,是在得知我的父亲患重病之后。母亲的"天"塌了,我知道这对于她是怎样深重痛苦的打击。但是在那灾难性的日子里,母亲表现出了无畏的勇敢和坚忍,她无微不至地照顾父

为了雪山的庄严和父母的期望

亲，安慰我们。其实这个世界上最需要安慰的正是她自己啊。

写到这里，我的泪水滚滚而下，电脑的键盘上落满了水滴，手指不断打滑。我无法平静地描写父亲最后的时光，也许我永远也写不出来，那实在是心灵的炼狱。我只是为我的父母深深地感动着，他们相依为命，一同走过了艰辛而幸福的一生。

父亲在最后的痛苦中对我说：我很幸福，有你妈妈，有你们……

父亲是一个军人，一个永远以国家的利益高于一切的人。在他的一生中，我没有听他说过类似温情的话。

我的母亲——那个山东昆嵛山下聪明美丽的女孩，她将一生交给了我的父亲，又顽强地从父亲的身影里走了出来，以她坚忍的自尊和努力，给了我们以良好的教养、简朴清白的品格、荣辱不惊的心胸和在巨大的苦难面前无所畏惧的气概。

我的父亲在我的眼中是神，他的目光睿智而高远。

我的母亲是一个普通的女人，她用自己的血脉锻造了我们，精神融化于我们的生命。为了使她快乐，她的子女愿意做任何事情。我的妹妹后来在北京大学读书，弟弟在1977年考上大学。

父亲去世后，母亲曾对我说，你爸爸到远处去了。你们小的时候，你爸爸就经常到远处去，这一次不过走得更长久些。我们终会到你父亲所在的地方去，我们还会团圆。在没有远行之前，我们还像以前你父亲不在的时候，一道好好地过日子，好吗？

好的。妈妈，我答应您。爸爸妈妈，无论天上人间，我们永远在一起。

为了雪山的庄严和父母的期望

一

人们常常问我：你发表处女作是哪一年？我说，是1987年，那一年我已经三十五周岁了。人们就"啊"了一声，不再说什么，但表情里含了疑惑：早些年你干吗去了？

在写作以前，我在遥远的西藏当兵，学的是医务。我在白衣战士的那条战线上，当到了内科主治医师的位置。假如不是改了行，就当到了副主任，您现在到医院看我的门诊，就要挂三块钱一个的号了。

一个女人，更具体地说是一个医术很好颇有人缘的女大夫，在已过了"而立之年"的沉稳日子里，为什么要弃医从文，拿起生疏的文学之笔开始艰难的跋涉？

在许多孤寂写作的深夜，我对着苍天自问。

我不知道，但是我感到一个苍凉而喑哑的声音，在寒冷的西部呼唤我。

你既然来到了这里，你就要让世人知道这里。他说，带着无上的权威。

我没有办法抗拒。你可以违背一个人的意志,但是你不能违背一座雪山。

这就是昆仑山啊,我们民族最伟大的峰峦。

不管文化古籍里怎样考证,说传说中的昆仑山是现如今的什么什么山,我总认为它不是一座具体的山,而是一个象征。想想那时候,交通工具多么不便,又没有精确的地图,指南针还没有发明出来,古人们绝不可能把山与山的分野搞得条块分明。他们只有对着西部广袤的隆起兴叹,在落日辉煌的余晖里,勾勒云霭中浮动着鬼斧神工的宫殿……于是他们把无数神奇的传说附丽其上,敷衍出最雄伟的想象。那里有九条尾巴的天神把守的天宫,那里有直插云霄的天稻,每一粒谷子都是鸡蛋大的玉石……

无独有偶,在印度辽阔的恒河平原上,更为优雅的神话野火般流传。赤足的人们向西眺望,看到皑皑的冰峰劈裂云霄,他们认为有超凡入圣的法力统治之上,于是说那里是佛祖居住的地方……

两大古老种族神秘的目光交汇于此,这就是地球上最高耸的原野——藏北高原。

当我十六岁的时候,离开北京,穿上军装。火车不断地向西向西,到了新疆的乌鲁木齐,又换上汽车向西向西。在茫茫戈壁上奔跑了六天以后,到达南疆重镇喀什。这一次汽车不是向地面上的哪个方向行驶了,而是向"天上"爬去。又经历了六天无与伦比的颠簸,我作为藏北某部队第一批女兵五个人当中的一员,到达了这块共和国最高的土地。

这块土地是喜马拉雅山、冈底斯山和喀喇昆仑山聚合的地方,平

为了雪山的庄严和父母的期望

均高度在海拔五千米以上，它有一个奇怪的名字，叫作"阿里"。

没有人知道"阿里"是什么意思。我曾经问过博学的藏学家，也没能给一个明晰的回答，只是说这个词汇可能属于一个早以消亡了的语系。于是我就沿用了一个我在阿里搜集到的民间传说：阿里的意思是"我的"。

"我的"什么呢？我的高原？我的山川？我的牦牛和我的盐巴？我的清澈的湖泊和险恶的风暴？不知道。人类的远祖用我们不懂的语言，为我们留下了一道永恒的谜。也许在先民们眼中，所有的一切都是有灵性的，他们都在呼喊着"我的"。

我小的时候，学习很好，语文好，数学也好。语文老师说我以后可以当个记者，数学老师则说我以后可以上清华大学，成为一个女数学家。我回到家里，很高兴地把这些话学给妈妈，没想到她训斥我说，这都是老师逗你玩的，你不要相信别人说你如何好的话。

我挺伤心的，从此养成了对别人的夸奖总是半信半疑。我不知这习惯到底好不好，但它使我在荣誉面前天生地镇静起来。比如我的作文被老师批过"5+"的分数，但是小小的我丝毫不骄傲，因为我知道那是她逗我玩的。

我小学毕业后考进了北京外国语学院附属学校，据说是很难考的，录取率只有几百分之一，而且女生录取的很少，只及总数的四分之一。在我这个年纪的北京人，都会记得当时每年一度的北京外语学校招生，是怎样地惊动京城。

我考上了，妈妈难得地高兴了一回。但是我已经养成了荣辱不惊的脾气，并没有特别的兴奋。

在外语学校读书的时候，我的成绩依然很好。我现在还保存着一张当时的成绩单，所有的科目平时都是5分，期末考试都是"优"。我后来在军队院校军医专业学习的时候，每次考试也都是第一。由于一贯的优异，使我在内心深处看不起在校学习这件事。你想啊，上边有老师喋喋不休在讲，周围有同学可研讨，你什么事都没有，专门一门心思学那点前人遗下的知识，你要是还学不好，不是太说不过去了吗？

我在外语学校最大的收获，是见了一个比较大的世面，读了不少的书。退回去三十多年，许多社会名流的孩子已经在反帝反修的同时，孜孜不倦地开始学习外语。我们这所学校干部子女的密集程度，大概超过了京城的任何一所学校。我的父亲是军队的一位正师级干部，但相比之下，我只能算作平民子弟。由于我优异的学习成绩，使我保持了一种尊严的生活态度。我得以近距离地观察到真正的"贵族"气派，看到它的华贵，也看到它的羸弱。

读了许多的课外书，则得益于"文化大革命"的停课。我们学校里有一个很大的图书馆，平日里我们是没有机会读小说的，功课压得非常紧，老师原本要求我们夜里说梦话都用外语的。现在一停课，大松心了，快活无比。只是图书馆里的书可不是无偿看的，看一本，要写出一篇批判文章。

刚开始大伙觉得这个交易做得来，不就是看完之后胡乱照着报纸抄点革命词语就能交差了吗？于是大家都去借，并相约看完了自己的那本以后，彼此交换。这样各人写一篇批判稿，就可以看几本好小说，不是太合算了吗？

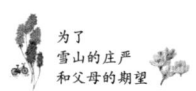

但实践的结果并不美妙。很多人书看了,但批判稿久久写不出来,时间长了,就失去了继续借书资格。我也不愿意写大批判文章,你想啊,都是世界名著,看的时候,对大师们佩服得五体投地,书皮一合上,就要批判他们,这是一件多么残酷的事情!但管图书馆的小个子老师很严厉,交不了稿,你就不要想从她的手里再借出一张纸。为了阅读大师们的作品,我只有硬起头皮来批判大师们。

道理虽说明白了,但写的时候,心痛如绞。我终于想出了一个两全其美的办法。比如看完《复活》,我就在纸上写:以下部分暴露出列夫·托尔斯泰的资产阶级人道主义倾向……然后我开始大段地抄录老托尔斯泰的原文,抄得很仔细,连一个标点都不曾错落……

还书的时候心情好忐忑,生怕小个子老师看出什么。没想到她连连表扬我的认真,原来她是只看标题,看字迹是否整齐,看篇幅的长短,并不在意你写的是什么。

只有我一个人坚持借书写批判稿了,同屋的同学开始央求我,要我看完了书暂不要还,让大家都传着看一看。我当然不能拒绝,只是有的人看得很慢,已经过了好多天了,你问她看完了没有,她还说没完。知道书看到半截被人夺走的苦处,我不好意思催,只得耐心地等。但看惯了书的人,就像大烟瘾,是很难忍得住的。我就在下次借书时候想办法——连借带偷。图书馆的小老师对我已是十分地信任了,每次我来借书,她不跟着,让我自己在书架里挑。

我们的图书馆是一座建立于20世纪初的西式楼房,窗户很高很小,像旧时的教堂。加上书架遮挡了大部分的阳光,走道幽暗深邃,这真是一个作案的好场所。我在书架里转啊转,看到一本好书,就夹在胳肢窝的衣服里……这样几圈下来,双臂就像机械的木偶,动也不敢动了。最后僵硬地走到老师跟前,只把手里抱着的书登记。

这样我看好几本书,只需写一本书的大批判稿,不但减轻了手的负担,加快了看书的速度,更重要的是减轻了心灵的负担。

但还书的时候,气氛挺吓人的。借的时候,只图一时快活,完全忘记是从哪个犄角旮旯掏出来的书,可还的时候一定要归位。小老师是很认真的,一旦她发现大量的图书放错了地方,怀疑到了我的身上,我的秘密书库就彻底摧毁了,损失不堪设想。我谨慎地控制着偷书的数量,严格地完璧归赵。每次还书时候,都恐惧万分。身上夹带着好几本书,像个沉重的孕妇,还要等着小老师验收批判文章,心中狂跳不止。待老师那里过了关,急急钻进书架的峡谷,拼命回想上次取书的位置,冷汗涔涔。好不容易放了回去,刚轻松了一秒钟,又贪婪地开始了新一轮的夹带……

同学们坐享其成,却全然不体谅我的苦衷,轮到我要还书了,她们就耍赖,说还没看完呢。我说,那你们也得给我一个时间,你们不能老这么耽误我呀。她们就说,要不这样吧,书你现在就可以拿走,但是你得把书中的故事讲给我们听。

于是,在"文化大革命"最激烈的年代,在北京城内一所古老的校舍里,每逢夜深人静,在一间住着八个女孩的房间里,就会传出娓娓的话语,中外文学大师的智慧,像月光清冷地笼罩着我们,伴我们走进悠远的梦乡。

为了给同学们讲得不露破绽,我读原著的时候就格外的认真。几十年过去了,我的一位现已在美国定居的朋友,说她至今记着我给

为了雪山的庄严和父母的期望

她讲过的《笑面人》,而且拒绝看雨果的原著。她说,毕淑敏在那个夏夜所讲的《笑面人》是世界上最好的《笑面人》,我从来没有听过比这再好的故事了。

我对这个评价淡然一笑。我知道这是她在怀念自己的少年时代。

二

我从北京来到西藏的阿里当兵,严酷的自然环境将我震撼。所有的日子都充满严寒,绿色已成为遥远而模糊的记忆。

吃的是脱水菜,像纸片一样干燥的洋葱皮,在雪水的浸泡下,膨胀成赭色的浆团,炒或熬以后,一种辛辣而懊恼的气味充斥军营。即使在日历上最炎热的夏季你也绝不可以脱下棉衣,否则夜里所有的关节就会嘎嘎作响。

由于缺乏维生素,我的嘴唇像兔子一样裂开了,讲话的时候就会有红红的血珠掉下来。这是很不雅的事情,我就去问老医生怎样才能治好嘴唇?医生想了半天说,你要大量地吃维生素。我说吃啦,每天都吃一大把,足足有二十多片呢!可我的嘴唇为什么还是长不拢?医生说那就是你说话太多了,紧紧地闭一个星期嘴巴,你的嘴唇就长好了。我说,那可不行,我是卫生员的班长,就算跟伙伴可以不说话,跟病人也是要讲话的……老医生表示爱莫能助。

后来我的嘴唇还是我自己给治好的。夜里睡觉的时候,用胶布把自己的嘴巴粘起来,强迫裂开的口子靠在一起,白天撕开照常讲话。坚持了一段时间,后来就好了。

由于缺氧，我的指甲猛烈地凹陷下去，像一个搅拌咖啡的小勺。年轻的女孩就是爱斗嘴，有一天，女卫生员争论起来谁的指甲凹得最厉害，最后决定用注射器针头往指甲坑里注水，一滴滴往下灌，水的滴数多而不流者为胜。记得我得了第一，好像是贮藏了十几滴水吧，凝聚得圆圆的，像一颗巨大的露珠，乖乖地趴在我的指甲上。

我是一个优秀的卫生员。有一天，我在军报上看到了一个叫作"毕淑敏"的人写的一首诗，就轻轻地笑了一下。我知道我的名字很大众，全中国从八岁到八十岁的女人，有许多叫这个名字，但我的姓是比较少的。现在有了一个同名同姓的人写了一首诗，觉得很亲切，就很仔细地读。

一读之下，我吃了一惊，因为这首诗是我写的，但是千真万确我没有向任何一家报刊投过稿。

我不知道这是怎么一回事儿，也没有人负责向我解释。时间一长，我就把它忘了。但是军邮车下次上高原的时候（由于道路封山，邮车很长时间才上来一趟），报社给我寄来了一个黄色封面的采访本，我才得以确认那首诗是我的作品，这个本就是稿费了，我用那个本记了许多有关解剖和生理方面的知识。

在一个很偶然的机会，政治部的一位干事对我说，你的那首诗，充满了鲜血和死亡的意识，真不像一个十几岁的女孩子的。

我恍然大悟说，噢！原来我的那首诗是你给我投到报社去的啊？

他说，不是他。

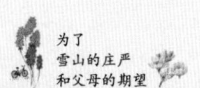

他这才告诉我,军报的一位记者到阿里高原采访。高原反应像重量级的拳击手,毫不留情地击倒了他,第二天他就下山返回平原了。但记者很忠于职守,就在高原的这仅有的一天里,挣扎着看了一些单位的黑板报,摘了一些作品带回去,我的小诗也在其中。回去以后,别人的都没选中,只发了我的那一首……

我不知道自己随手涂抹的句子还有这样的经历,但幼时妈妈的教育使我绝不大惊小怪。我没有看见自己的作品变成铅字的喜悦,只认为这是一个巧合。不会再有第二个记者匆匆下山,不会再有人看上我的小诗……

我继续专心地学习医学知识,一点也没有因此想投稿搞创作什么的。

当了几年兵,我回家探亲。我的父亲很郑重地同我谈到了那首诗,说他很高兴。

我从小是一个乖孩子,愿意使自己的父母快活。但我还是没想到写作,只感到一种隐隐约约的愿望在起伏。

我在藏北高原当了十一年的兵,把自己最宝贵的青年时代留在了冰川与雪岭之间。

我曾经背负武器、红十字箱、干粮、行军帐篷跋涉在无人区,也曾骑马涉过冰河给藏族老乡送医药。

我曾在万古不化的寒冰上,铺一张雨布席地而眠,初次这样露营时,我想醒来身体还不得泊在一片汪洋之中?我真是高估了人的微薄热量,黎明当我掀开雨布查看时,只见雪原依旧,连个人形的凹陷都没有。除了双膝凝固般地疼痛,一切都很正常。

攀越海拔六千多米的高山时,心脏在胸膛炸成碎片,仿佛要随着急遽的呼吸迸溅出嘴巴。仰望云雾缭绕的顶峰,俯视脚下深不可测的渊薮,只有十七岁的我,第一次想到了死。我想这样爬上去太苦难了,干脆装着一失脚,掉下悬崖……没有人会发现我是故意这样做的,在如此险恶的行军中死人的事经常发生。我牺牲于军事行动,也要算作小小的烈士,这样我的父母也会有一份光荣……我把一切都周密地盘算好了,只需找一块陡峻的峭壁实施自戕的方案。不一会儿,地方选好了。那是一处很美丽的山崖,天像纯蓝墨水一样浓郁地蓝着,有凝然不动的苍鹰像图钉似的摁进苍天。这里的积雪比较薄,赭色的山岩像礁石一般浮出雪原(我知道要找一块山石狰狞的地方下手,否则叫厚雪一垫,很可能功亏一篑)……

一切都策划好了,但是我遇到了最大的困难。我的脚不听我的指挥,想让右脚腾空,可是它紧紧地用脚趾抠住毛皮鞋底儿,鞋底儿粘在酷寒的土地上,丝毫不肯像我计划的那样飞翔而起……我转而命令左脚,它倒是抬起来了,可它不是向下滑动,而是挣扎着向上挪去……青青的机体不服从我的死亡指令,各部分零件出于本能居然独自求生……那一瞬我苦恼之极,生也不成,死也不成,生命为何如此苛待于我?

一个老兵牵着咻咻吐白气的马走过来,他是负责后卫收容的,他说,曼巴(藏语的医生之意),拉着我的马尾巴吧,它会把你带到山顶。我看了一眼马毛被汗湿成一缕缕的军马,它背上驮着掉队者的背包和干粮,已是不堪重负。

不,我不。我说。

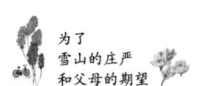
为了雪山的庄严和父母的期望

老兵痛惜地看着我说，你是不是怕它扬起后蹄踢了你？放心吧，它没有那个劲了。在这么陡的山上，它再累也不敢踢你。只要它的蹄子一松劲，就得滚到谷里去。它是老马了，懂得这个利害。你就大胆地揪它的尾巴吧。

我迟疑着久久没有揪那条马尾。

不是害怕马，甚至也不是怜悯马。

我在考虑自己的尊严。

一个战士，揪着马尾巴攀越雪山，这是不是比死还让人难堪？我的意志做出一个回答，生存的本能做出另一个回答。

意志在本能面前屈服，我伸出手，揪住了马尾巴……

我看到许多年轻的生命永远地留在了万水千山之间，他们发生过悲凉或欣喜的故事，被呼啸的山风卷得漫无边际。

我为一个二十岁的班长换过尸衣，脱下被血染红的军装，清理他口袋里的遗物。他兜里装着几块水果糖，纸都磨光了，糖块像一个个斑驳的小乌龟，沾着他的血迹……我一点都不害怕，因为我的兜里也有和他一样的水果糖，这件小小的物品使我觉得他是兄弟。

我们把他肚子上覆盖的铁瓷碗取下来，碗里扣着的，是他流出的肠子。敌人的子弹贯穿了他的腹腔，肠管已经变得铁管一样坚硬，没有办法再填回他的肚子里去了。

我们给他换上崭新的军装，把风纪扣严严实实地系好。除了他的腰间因为流出的肠子，扎了皮带也显得有些臃肿，真是一个精干的小战士呢。

趁人不注意，我在他的衣兜里又放上了几块水果糖。我不敢让别人知道,因为老兵们一定要嘲笑我的,但我真的觉得这个班长需要这几块水果糖。糖是我特意挑的,每一块的糖纸都很完整,硬挺地支棱着,像一种干燥的翅果。

那个小兵被安葬在阿里高原,距今已经有二十多年了。我想他身边的冻土,有一小块一定微微发甜。他在晴朗的月夜,也许会尝一尝吧?

三

1980年我转业到北京,在一家工厂的卫生所当医生,后来当了所长。结婚、生子、操持家务……一个女人来到这个世界上该做的事情,我都很认真地做了。贤妻良母好医生,这是人们众口一致的评价。

对一个三十岁的女医生来说,你还需要什么?

按说是不需要什么了,我应该安安静静地沿着命运已经勾勒的轨道,盘旋下去。

但是,我虽然从小生活在北京,对北京的一草一木都那样熟悉,此次归来,我却不再是过去的那个我了。怀里揣了那么多藏北的风雪,强烈地撞击着心脏。我对这个巨大的都市,开始了新的审视。我到过这个国家最偏远最荒凉的地方,在横贯整个中国的旅行中,我知道了它的富饶与贫瘠。我在妖娆的霓虹灯中行走,身旁会突然显现白茫茫的雪原。在文明的喧哗与躁动之间,我倾听到遥远的西部有一座山在虎啸龙吟……

我的父亲有一天对我说,我看你是可以写一点东西的,你为什么

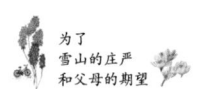

不写呢?

我的父亲是一个很聪明的人,而且在文学艺术方面有很好的天赋。只是由于他们那一代人所处的环境,使他戎马一生,始终未能从事文学。我从他的目光里看到了期望,我决定一试。

一个微茫的希望在远方磷火般地闪动。我想用我的笔,告诉世人一些风景和故事。我想让我的父母惊喜。

于是在一个普通的日子,我铺开一张洁白的纸。那是在深夜的内科值班室,轮到我值班,恰好没有病人。日光灯管发出嘶嘶的叫声,四周一派寂静。记忆在蛰伏了多少年后苏醒,将高原的生命与鲜血铺陈于我面前。

我在高耸的雪山上开始了我为医的生涯,雪山也将它的身影,倾泻于我的笔端。

我与雪山有缘。

跋　山河试卷

某一次旅游,游客中有个中学生。我佩服他爹娘,有远识有金钱。在他如此幼小的时候,就带他四海周游,助他打开眼界,看不一样的风景,听远方的故事。当然,我并不是说只有到异国去,孩子才可能有更多的见识。只要心的容量足够大,近在咫尺,也能看到可惊可叹的美景。不过,远行始终值得羡慕。

出发了,旅行团的人数不多,彼此熟识之后,就像一家人。孩子名昭苏,某天吃团餐的时候,眼圈红红的,饭量大减,蔫头耷脑的。

我悄声问:"哭了?"

他说:"没……只是眼睛漏了点水。"

我能够理解这个年龄段的男孩自尊心很强,承认哭泣是难堪的事情。我说:"是海水吗?"

他迟疑了一下说:"不是。"

轻微的失望,我更喜欢诚实的孩子。不过,我也没有资格来管教,

于是,淡然一笑。

昭苏很敏感,觉察到了,说:"是湖水。"

我说:"哦。"

他仿佛下了很大的决心,说:"是青海湖。"

我们一齐笑起来,从此成为朋友。

几天后,当我们关系更好的时候,他告诉我说,那天流泪,是因为爸爸妈妈逼他写作业。窗外是冰峰雪景,远处的森林里,有独角犀牛、蓝尾孔雀和吐舌头的鳄鱼。他不想写,爸爸妈妈就动了武力。

昭苏说:"出来旅游,就是要看不一样的东西。现在可好,不一样的东西就在眼前,却不让我看,非让我埋在书堆作业本里,那我为什么还要跑到国外来呢?旅游费那么贵,现在每过一天,就相当于两千块人民币。用这个时间来写作业,还不如缩在家里,又省钱效率还高。现在,雪山我也没看清楚,孔雀我也没能拍下来,小鳄鱼也没捞

着见……我这到底是干什么来了呢?您是个作家,一定知道鸡犬升天的故事吧?"

我说:"为什么想起这个故事?"

昭苏说:"西汉的时候,有个您的同行,叫刘安。"

我说:"不能吧?我当过解放军,还是心理医生。那时候,有这两个职业吗?"

昭苏狡黠地笑笑说:"他写作啊,继承了封位叫淮南王。刘安看过很多书,喜欢炼丹以成仙,四处云游,寻访神人。有个叫八公的仙翁,会炼丹,可是他保密,不告诉刘安。刘安不灰心,锲而不舍,终于感动了八公,八公就把炼仙丹的方法告诉刘安了。刘安开始炼丹了,守在炼丹炉旁闭目念经,可专心了。后来他果真炼出了仙丹,吞下去,哎呀,了不得啊,身轻如燕,精力旺盛,目光矍铄,脚下一使劲儿……"

我大笑,说:"昭苏你好像亲眼看见刘安成仙似的。"

昭苏说:"嗨,反正刘安一跺脚,就轻飘飘地向空中飞去,定睛一看,已经站在云彩中了。可能是仙丹太灵了,他才吃了几颗就成仙了,没吃完的仙丹散落在地上,被他家的鸡和狗吃了。鸡狗吃完之后,也

都飘然升空,成了神仙。刘安在自己家的鸡和狗簇拥之中,慢慢飘向天堂……从此就有了成语'一人得道,鸡犬升天'。"

我说:"昭苏,绘声绘色说得挺有趣,可我还是想不出它和作业有何联系?"

昭苏说:"咱们能到这里来,不是坐了好长时间飞机吗?"

我说:"对啊。"

昭苏说:"神仙都是会飞的,猪八戒土地神这些未入流的小神都会飞,更不要说二郎神孙悟空什么的。"

我说:"飞到空中就算是神仙,那咱们也是刘安了。"

昭苏长叹一口气说:"可惜当我升天的时候,我的课本和作业本,也一道升天了。现在,我就被它们簇拥着,和没升天之前一模一样。刘安可怜啊,成天埋在凡间的猪狗们中间,这个神仙当不当的,有什么意思呢?"

昭苏有理。不过,有些话,我不能和昭苏说,只想对昭苏的父母说。

我们心的容积,其实有限。旅游是环境和时空的大挪移,国度不

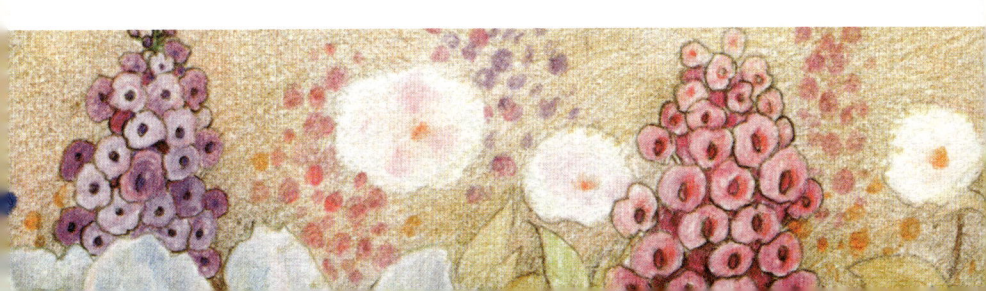

同，时差不同，风景不同，民俗不同，语言不同，历史不同，文化不同，饮食不同……使人的心智和体力高度运转，目不暇接。人的眼耳鼻舌身，耳朵竖起，以搜罗更多不同的声音，眼皮尽量睁大，以观察更多奇异的风光。鼻翼扇动，以呼吸更多异乡的气息。味蕾张开，以分辨更多诡异的美食。每一寸肌肤的触觉，都进入高度兴奋的状态，感受着来自异国的风土人情……感觉陌生才是旅行的难得境界。一切尽在掌握中，那是炕头到炕尾的挪挪窝，不是万千气象的旅程。旅程正因为不可获知的奇异而诱人涎水，没有意外的旅程只能是从卧室到厨房的踯躅。

想想看，在你的五官紧张工作目不暇接之时，新的讯息像身后的斑斓猛虎一样追赶你之时，你还能心平气和地写作业吗？

是的，应该轻装，不仅仅是我们的行囊在旅行时尽可能地减少重量，我们的心灵也要腾空，放松到无所挂牵，大脑才能像最大面积的洁净黑板，才能书写新的公式和词汇，才能真正有效地利用这难得的一课，积聚起崭新的能量，从容不迫回应万千世界的频繁刺激。

旅行是精神的压缩饼干，你只能先吞下去，再用胃液慢慢来消化，汲取丰富的营养。如果一边旅游一边写作业，那简直就是暴殄天物，

就是捧着金饭碗，喝一盏昨夜的残汤。

旅行就是不断地发现、冲突、记忆和刷新的循环过程。所有的景色就像按了快进键的录像机，你来不及细看，只有先把它们储存在那里，如同台风莅临前紧急卸货入库的港口。相当于平日十几倍甚至几十倍的海量信息，喧嚣着蜂拥而入，挑战我们身体的每一寸肌肤和所有的感官。我们不断地总结、归纳、汲解、读取、融化着，试图用发现来验证经验，用已知来证明未知，用未知来挑战已知……这话说起来拗口，简言之，已知和未知的经纬线，狙杀在一起，像一幅斑斓的锦，匆匆织就。只有先妥帖地藏在背囊中，带回温暖的家，留待以后漫长的时日，展开来，细细反刍。

我希望昭苏能和父母结成旅游不写作业的协议。当然，作业是要完成的，不过不要在瞬息万变的旅途中。旅游是山川河流历史文化留给我们的多选题，先通览一遍试卷，再来琢磨这些新颖的题目吧。

毕淑敏
2016.8.6 北京

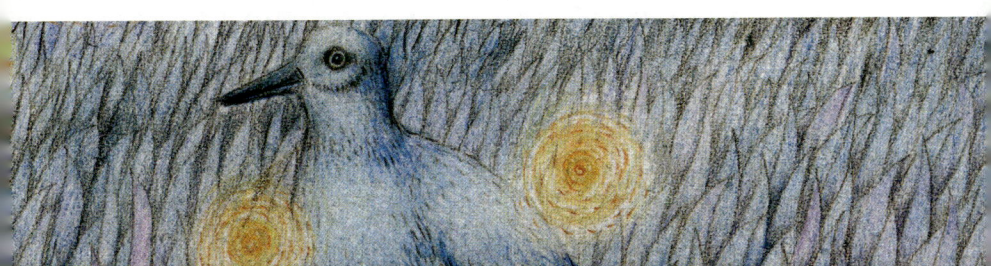

（京）新登字 083 号

图书在版编目（CIP）数据

为了雪山的庄严和父母的期望 / 毕淑敏著 .—北京：中国青年出版社，2016.10
（青春读书课）
ISBN 978-7-5153-4455-3

I. ①为… II. ①毕… III. ①散文集-中国-当代 IV. ①I267

中国版本图书馆 CIP 数据核字（2016）第 206341 号

为了雪山的庄严和父母的期望

毕淑敏 著

策　　划：	李钊平
责任编辑：	李钊平　彭慧芝
内文插图：	孔　雀
装帧设计：	今亮后声
出版发行：	中国青年出版社
社　　址：	北京东四十二条 21 号
网　　址：	www.cyp.com.cn
编辑中心：	010-57350371
营销中心：	010-57350370
印　　装：	鸿博昊天科技有限公司
经　　销：	新华书店
规　　格：	880 mm×1230 mm　1/32
印　　张：	9
字　　数：	200 千
版　　次：	2016 年 10 月北京第 1 版
印　　次：	2016 年 10 月北京第 1 次印刷
印　　数：	1-5000 册
定　　价：	32.00 元

如有印装质量问题，请凭购书发票与质检部联系调换　联系电话：010-57350337

Bi Shumin 毕 淑 敏

毕淑敏写给男生女生的心灵成长励志经典

青春读书课
陪你人生走一程

文学界的白衣天使、著名作家、心理医师
作品入选全国中高考语文试卷最多的作家之一

01.《每一次卓越都来自倔强的孤独》
02.《所有的动力都来自内心的沸腾》
03.《孜孜不倦地爱与被爱》
04.《用心触摸世界的温暖和美好》
05.《绝望之后的曙光》
06.《在生命的所有季节播种》
07.《别给人生留遗憾》
08.《女生,我悄悄对你说》
09.《男生,我大声对你说》
10.《为了雪山的庄严和父母的期望》
11.《大雁落脚的地方》

定价:32.00元(单册) 352.00元(套装)

美好人生,从最美的青春读书课开始

讀書人 Reader